T5-AXT-092

XEROX MAN

Y OTROS CUENTOS

Ilan Stavans

literalpublishing

Diseño de portada e interiores: DM

Este libro fue posible gracias al apoyo del Humanities Research Center
y la School of Humanities de Rice University.

Crestón 343,
México, D.F., 01900

5425 Renwick
Houston, Texas, 77081
www.literalmagazine.com

ISBN: 978-1-942307-29-7

Impreso en Estados Unidos / Printed in the United States

Índice

Xerox Man

> Not spoken in language, but in looks
> More tangible than printed books.
>
> Henry Wadsworth Longfellow,
> *The Hanging of the Crane* (1874)

Mi participación fue muy pequeña en el explosivo caso del llamado “Xerox Man”, como los tabloides de Nueva York se deleitaban en describir a Reuben Staflovich, poco después de su sonado arresto, y como lo reiteraba el perfil del *Harper's Magazine.* Se reduce a solo quince minutos de conversación de los que, por desgracia, tengo un recuerdo demasiado vago.

Oí hablar por primera vez de él en Foxy Copies, un pequeño establecimiento de fotocopiado ubicado precisamente junto al edificio de apartamentos de la época de preguerra, donde pasé algunos de mis mejores años en Manhattan. Su propietario era un generoso cincuentón de apellido Morris, que atendía a sus clientes con una clase de cortesía y sencillez que ya no estaba de moda en la ciudad.

Acostumbraba yo visitar Foxy Copies casi diariamente porque mi trabajo exigía copiar material periódicamente y enviarlo por fax. Me rehusé a dejar que mi casa se viera invadida por equipo tecnológico, de modo que Morris, por una suma no astronómica, me hacía ese trabajo.

Siempre me recibía con los brazos abiertos. Si el tiempo lo permitía, me invitaba a charlar un rato mientras él estaba en su escritorio, detrás de una de las grandes fotocopiadoras. Discutíamos sobre el último juego de los Yanquis o sobre el escándalo de la semana en Washington. Luego él procesaba mis documentos como si fueran suyos. Había leído uno de mis artículos en una revista de amplia circulación, y se sentía orgulloso de tener lo que llamaba "una lista distinguida de clientes", en la que me incluía a mí. "Me harás famoso algún día", me decía con frecuencia.

En una de nuestras conversaciones le pregunté a Morris, por fastidiar, si alguna vez sintió curiosidad acerca de sus clientes y el material que fotocopiaban.

–¿Por qué habría de sentirla? –replicó rápidamente, pero luego bajó la guardia. –¿Quieres que realmente responda a tu pregunta? Entonces, ven conmigo–. Caminamos hacia una trastienda con un enorme gabinete, que Morris abrió de inmediato. Frente a mí vi una pila desordenada de papeles.

–En Brooklyn –dijo– a un viejo maestro mío le gustaban las palabras raras. Cuando adquirí Foxy Copies vino a mi memoria una de estas palabras: *paralipomena.* Significa "sobrantes que todavía tienen algo de valor". Lo que ves aquí son pilas de copias Xerox que los clientes abandonan o descartan.

La vista me recordó una *genizah,* el anexo de toda sinagoga, generalmente bajo el arco donde se almacenan los viejos libros de oración. Los libros judíos inservibles no se tiran a la basura porque podrían contener el nombre de Dios, que puede caer en malas manos y ser profanado. Por esta razón, estos libros se almacenan hasta que la *genizah* esté llena, y en ese momento alguien, generalmente un anciano, entierra los libros en el patio trasero.

–Una especie de *genizah,* ¿verdad? –dije.

–Sí –contestó Morris–, salvo que una empresa especializada viene cada tres meses o algo por el estilo para recoger este material. Me enoja que no se recicle debidamente.

Hojeé las viejas copias Xerox.

–Basura, realmente –dijo Morris–. La mayor parte está en inglés normal, excepto el material descartado que deja el señor Staflovich –y al pronunciar el nombre señaló un montón de menor altura. Lo mire de cerca, y me pareció que sus páginas estaban escritas en algún idioma semítico.

A Morris no le gustaba hablar acerca de sus clientes; pero en el fondo todos los neoyorquinos son indiscretos, y él también lo era. De modo que me contó que Reuben Staflovich –según recuerdo, él usó el nombre completo por primera vez en ese momento– era el más taciturno de sus clientes. Lo describió como corpulento, de altura promedio, siempre vestido con un traje negro, camisa blanca y mocasines bien lustrados, con una barba desarreglada y su distintivo sombrero tipo Humphrey Bogart.

–Viene con un maletín negro de médico aproximadamente cada dos o tres semanas –añadió Morris–, normalmente a la hora de cerrar, alrededor de las 6:3 P.M. Pide una máquina Xerox solo para él. Con extrema meticulosidad, saca del maletín de médico un volumen de anticuario, que tarda entre 3 y 4 minutos en fotocopiar. Luego lo vuelve a colocar en el maletín, envuelve en plástico las copias, paga al cajero y se marcha. Se dicen pocas palabras, y no hay contacto humano. Sale exactamente del mismo modo en que llega: en silencio absoluto.

Recuerdo haber hablado con Morris sobre otros temas ese día, pero Staflovich era el único que realmente cautivo mi imaginación.

–¿Sabes? –continuó Morris–, es asombroso verlo hacer su trabajo. Fotocopia sin fallas, sin desperdiciar una sola página.

Pero poco después de terminar, mete sus dedos en el montón y toma una sola copia, una sola, y la descarta. No tengo idea de por qué hace esto. Nunca me atreví a preguntarle. Pero yo guardo la página excluida por él. Lo hago por lástima.

Saqué del gabinete la página de encima de la pila de Staflovich. –¿Me la puedo llevar?

–Por supuesto –contestó Morris.

Aquella noche, en mi soledad, la descifré: venía de una traducción latina de la *Guía de perplejos* de Maimónides.

No mucho tiempo después, estando en Broadway, vi a Staflovich en persona. La descripción de Morris era impecable. Salvo por el sombrero tipo Humphrey Bogart, parecía tan corriente como lo había imaginado: un judío ortodoxo anodino exactamente como los que se encuentran en Delancey Street. Caminaba de prisa y nerviosamente, con su maletín en la mano derecha. Una corazonada me hizo seguirlo. Se dirigió hacia las afueras, a la estación del subterráneo de la calle 96; pero siguió caminando muchas cuadras más –casi treinta– hasta llegar a los escalones de la entrada del Seminario Teológico Judío donde, cruzando la reja, desapareció de mi vista. Esperé durante unos minutos y lo vi reaparecer, caminar de nuevo hacia las afueras, esta vez a Columbus Avenue, y desaparecer definitivamente en un edificio de apartamientos. "Esta debe ser su casa", me dije. Me sentí angustiado, sin embargo, deseando haberlo encontrado frente a frente. Estaba intrigado por su identidad misteriosa: ¿Era casado? ¿Vivía solo? ¿De qué vivía? ¿Y por qué copiaba libros viejos en forma religiosa?

La siguiente vez que vi a Morris, le mencioné mi persecución.

–Ahora me siento culpable –confesó–. Puedes estar siguiendo a un desalmado.

Alrededor de un mes más tarde tuvo lugar mi conversación de quince minutos con Staflovich. Fue al salir de la Universidad de Columbia, después de un día pesado de trabajo. Él entraba a la estación del subterráneo en la calle 116. Por coincidencia, ambos bajamos juntos por la escalera. Volví la cara fingiendo sorpresa por la coincidencia y dije:

–Yo lo he visto a usted antes, ¿no es cierto? ¿No es usted cliente de Foxy Copies?

Su respuesta fue evasiva: –Bueno, realmente no. No me gusta la zona... Es decir, ¿por qué? ¿Usted me ha visto allí?

Noté de inmediato su fuerte acento hispánico, que después fue objeto de bromas por parte de los medios, especialmente de la televisión.

–¿Es usted de Argentina?

–¿Qué le importa?

–Bueno, es que yo soy judío mexicano...

–¿De veras? No sabía que allá hubiera. De otro modo...

Con la clara intención de evadirme, Staflovich sacó una ficha y pasó por el torniquete. Yo no tenía fichas, de modo que tuve que formarme en la fila, con la consecuente demora. Pero lo alcancé una vez que bajé a los andenes. Él estaba tan cerca como era posible de la orilla de la plataforma. El tren tardaba en llegar, y yo no me sentía intimidado por la renuencia de Staflovich a hablar. De modo que me dirigí nuevamente a él:

–Veo que usted trabaja en el fotocopiado de documentos antiguos...

–¿Cómo lo sabe?

No recuerdo exactamente la conversación que siguió, pero, al cabo de pocos minutos, Staflovich me había explicado el resumen total de sus tesis teológicas, que son las mismas que expuso ante varios periodistas después de su detención. Lo que sí recuerdo es haber sentido un verdadero torrente de ideas descender sin piedad, repentinamente, sobre mí. Algo así como que el mundo en que vivimos –o más bien, en el que se nos ha obligado a vivir– es una copia Xerox de un original perdido. Nada en el es auténtico; todo es copia de una copia. También dijo que nos gobierna la más absoluta aleatoriedad, y que Dios es un loco a quien no le interesa la autenticidad.

Creo que le pregunté qué lo había traído a Manhattan, a lo que replicó: –Esta es la capital del siglo XX. Las memorias judías están depositadas en esta ciudad. Pero la manera en que se han almacenado es ofensiva e inhumana y debe corregirse de inmediato...

La palabra *inhumana* se me clavó en la mente. Staflovich la había subrayado claramente, como si esperara que yo saboreara su significado durante un largo tiempo.

–Tengo una misión –concluyó–. Servir como intermediario en la producción de una obra maestra que refleje verdaderamente los inescrutables caminos de la mente de Dios.

–Usted es del Upper West Side, ¿verdad? –le pregunté– El otro día lo vi cerca del Seminario Teológico Judío.

En ese instante perdió la paciencia y comenzó gritar: –No quiero hablar con usted... Déjeme solo. Nada qué decir. No tengo nada qué decir.

Di un paso atrás y, en ese momento, por una curiosa sincronía, llegó el tren local. Al entrar yo, vi a Staflovich volverse y caminar en la dirección opuesta, hacia la salida de la estación.

Una semana después, los encabezados de los tabloides decían: "Pesadilla de un Copión" y "Xerox Man: Un Auténtico Bandido". *The New York Times* presentaba la escandalosa noticia sobre Staflovich en primera plana. Lo habían arrestado por cargo de robo y destrucción de una gran cantidad de libros raros judíos de inestimable valor.

Al parecer, se las había arreglado para robar, mediante astutas estratagemas, unos trescientos preciosos volúmenes –entre ellos ediciones del *Sefer Hobot ha-Lebabot* de Bah ibn Paquda, y una generosa porción del *Talmud* babilónico, una versión con dedicatoria del *Tractatus theologico-politicus* de Spinoza publicado en Amsterdam, y una *Haggadah* iluminada impresa en Egipto–, todos de colecciones privadas de renombradas universidades como Yale, Yeshiva, Columbia y Princeton. Su único objetivo, según afirmaban al principio los reporteros, era apoderarse de lo más raro de obras relacionadas con la historia judaica, solo para destruirlas en la forma más dramática: quemándolas al amanecer dentro de los cubos para basura ubicados junto a Riverside Park. Pero solo destruía la literatura después de copiarla totalmente. Se citaba la afirmación de un funcionario: "El señor Staflovich es maniático de las copias Xerox. Las réplicas son su único objeto de adoración".

Poco a poco salieron a la luz sus odiseas personales. Se había criado en Buenos Aires, en un ambiente ortodoxo estricto. Cuando lo arrestaron, su padre era un famoso rabino *hasídico* de Jerusalén con quien tenía frecuentes discusiones violentas, sobre todo tocantes a la naturaleza de Dios y al papel de los judíos en el mundo secular. En su adolescencia, Staflovich llegó a convencerse de que el hecho de que antiguos libros judíos fuesen propiedad de instituciones no ortodoxas era un mal que necesitaba desesperadamente corregirse. Pero su obsesión tenía menos que ver con la transferencia de propiedad que con una compleja teoría del caos que él había adoptado mientras estuvo en Berkeley en un breve periodo académico de rebelión a principios de la década de los ochenta. “Para él, el desorden es el verdadero orden”, decía el psicólogo de la prisión y añadía: “Irónicamente, dejó de moverse entre los judíos ortodoxos hace tiempo. Está convencido de que Dios en realidad no gobierna el universo; simplemente lo deja mover en una cadencia libre, y los humanos, emulando a la divinidad, deben copiar dicha cadencia”.

Cuando la policía inspeccionó su apartamento de la avenid Columbus, encontró grandes cajas que contenían fotocopias. Estas cajas no se habían catalogado ni por título ni por nombre. Simplemente se habían vaciado desordenadamente, aunque las fotocopia mismas realmente nunca se mezclaron.

El caso de Staflovich ocasionó un candente debate sobre temas relacionados con el *copyright* y con los sistemas de préstamo de las bibliotecas. También generó animosidad contra los judíos ortodoxos que no quieren formar parte de la modernidad.

–Aunque parezca curioso –me dijo Morris cuando lo vi en Foxy Copies después de que el alboroto se calmó en cierta medida– la policía nunca me vino a ver. Supongo que Staflovich, con objeto de evitar sospechas, tuvo que haber contratado los servicios de varios centros de copiado. Seguro que nunca lo vi copiar más de una docena de libros de los trescientos que tenía escondidos en su apartamento.

Morris y yo seguimos hablando acerca de su cliente más famoso, pero mientras más reflexionaba yo en todo este asunto, menos cerca me sentía de su esencia. Con frecuencia me imaginaba a Staflovich en su celda de la prisión, solo aunque no solitario, preguntándose a sí mismo qué se habría hecho con su colección de copias.

No fue sino hasta que apareció la semblanza publicada por el *Harper's Magazine,* un par de meses después, cuando surgió una visión más completa, por lo menos ante mis ojos. El autor de dicha semblanza fue al único al que se le permitió entrevistar personalmente a Staflovich en dos ocasiones, y él desenterró fragmentos informativos acerca de su pasado que nadie había tenido en cuenta. Por ejemplo, sus raíces argentinas y su conexión con Nueva York. "Yo odiaba mi educación judía ortodoxa de Buenos Aires –le dijo Staflovich–. Todo en ella era derivado. La América de habla hispana es pura imitación. Lucha por ser *como* Europa, *como* los Estados Unidos; pero nunca lo será..." Y sobre Nueva York, dijo: "Cubrí mis gastos de manutención con el legado que recibí después de la muerte de mi madre. Siempre pensé que esta ciudad era la más cercana a Dios, no porque fuese más autentica –que obviamente no es–, sino porque ninguna otra metrópoli del mundo se le acerca siquiera en la cantidad de fotocopiado que se hace normalmente. En Manhattan se hacen millones y millones de copias diariamente. Pero todo lo demás –arquitectura, las artes, la literatura– es también una imitación, si bien una imitación disimulada. A diferencia del resto de América, Nueva York no lucha por ser como ningún otro sitio. Simplemente se remeda a sí misma. Allí estriba su verdadera originalidad".

Hacia el final de la semblanza, el autor le concede a Staflovich un momento de franqueza cuando le pregunta acerca de "su misión" y leyendo esta parte, repentinamente recordé que fue su misión acerca de lo que me habló más elocuentemente en la estación del subterráneo.

–¿Se habría dado cuenta la policía de que las copias Xerox que están en mi apartamiento están todas incompletas? –pregunta–. ¿Habrían verificado cada paquete y visto que a todos les falta sola una página?...

–¿Eliminó usted esa sola página? –le pregunta el entrevistador.

–Si, por supuesto. Lo hice para dejar un cuadro más claro y convincente de nuestro universo, siempre esforzándose por su realización, sin conseguirla realmente.

–¿Y qué hizo con esas páginas faltantes?

–Ah, he ahí el secreto... Mi sueño era servir como intermediario en la producción de una obra maestra que reflejara verazmente los caminos inescrutables de la mente de Dios: un libro hecho al azar, arbitrariamente, con páginas de otros libros. Pero ésta es una tarea condenada al fracaso, irrealizable, por supuesto, y por esto dejé esas páginas desprendidas en los cestos de basura de los centros de copiado que frecuentaba.

Cuando leí este renglón, inmediatamente pensé en la *genizah* de Morris y en cómo la misión de Staflovich no tenía que ver con duplicación sino con la creación. Rápidamente bajé las escaleras hacia Foxy Copies. Morris era seguramente el único propietario de un centro de copiado que tuvo el sentido común de rescatar las copias descartadas. Todavía tenía conmigo la página de Maimónides, pero deseaba desesperadamente poner mis manos en las páginas restantes del montón, para estudiarlas, para captar el caos acerca del que Staflovich hablaba con tanto entusiasmo. *"Paralipomena"*: este es legado que me dejó Xerox Man, me dije.

Morris no se encontraba en el centro de copiado, pero uno de sus empleados me dijo, cuando le expliqué mi intención, que el personal de la empresa de reciclaje había venido para limpiar la trastienda apenas dos días antes.

Aramis "Perejil" Landestoy (1911-2005)

Para Paquito D'Rivera

Murió Aramis "Perejil" Landestoy, autor del infame ensayo *Contra Natura* (1979). Apodado "el dominicano mortífero" (la frase es de Max Henríquez Ureña), le debe su celebridad a una sola frase sentenciosa reproducida infinitas veces: "A los negros lo mejor que puede ocurrirles es la muerte". Fácil es explicarla, y por sinécdoque la obra landestoyista entera, como una manifestación de la aversión entre Haití y la República Dominicana. Más prudente es entenderla como un síntoma del racismo enconado del mundo hispánico, cuyas raíces modernas se remontan al Renacimiento.

Landestoy, que fue catedrático en la Universidad Eugenio María de Hostos y discípulo del argentino antisemita Norberto Ceresole, juzgaba que "la clave de la desgracia del Nuevo Mundo" se remonta "a un momento histórico único en el cual nuestro presente, pasado y futuro se fueron a la mierda", el momento cuando Fray Bartolomé de Las Casas, para aliviar el dolor colonial de los indígenas maltratados en las colonias españolas, propuso la importación de esclavos africanos. "La humanidad de De Las Casas es sospechosa", reconoce Landestoy. "Pero más aún lo es la inhumanidad de los africanos. Si no se hubieran promulgado las Nuevas Leyes en 1542, si los negros no hubieran sido traídos, las Américas estarían hoy más cerca del paraíso".

A lo largo de los años, Landestoy elaboró una sofisticada teoría del derecho. "Nuestros gobiernos siempre han soñado con europeizar el hemisferio. Ese fue el anhelo de Sarmiento en Argentina, el de Porfirio Díaz en México, y en la República Dominicana el de Trujillo. Pensemos en esta desaparición como la corrección de un error".

En el idioma alemán, la palabra *Schadenfreude* describe el placer que sentimos con el sufrimiento ajeno. En más de una ocasión Landestoy propuso la invención de un término similar en castellano. Según el historiador Eric Paul Roorda (*The Dictator Next Door,* 1998), Landestoy, amigo del dictador Trujillo, fue uno de los arquitectos de la masacre de 1937 en la cual murieron entre 2 y 3 haitianos en un periodo de unos cinco días. Para identificarlos, el ensayista propuso que las posibles víctimas pronunciaran la palabra *perejil* en español (*pèsi* en criollo) y que "aquellos que nos supieran enrollar la r y la j seguramente serían hermanos del diablo".

Landestoy murió en paz en su casa de la zona colonial de Santo Domingo.

La desaparición

Honest gentlemen, I know not your breeding.
–*Henry IV*, Parte II, Acto V

Me pregunto si el cáncer de estómago será uno de los precios que tendremos que pagar por la glotonería, porque eso fue lo que mató a Maarten Soëtendrop, a los setenta y un años de edad. Yosee Stringler, mi viejo amigo, me escribió para informarme de la muerte del legendario actor obeso, en el corazón del *pays noir* belga. En Charleroi, la ciudad bautizada en honor de un rey español embrujado, gris, fue donde Soëtendrop cometió su error. Y allí también hizo su última salida del escenario.

Yosee me envió una carta larga y dolorosa, junto con un recorte del obituario publicado en *De Telegraaf*, donde la desaparición de Soëtendrop está contada con detalle. En Bruselas apareció en los titulares y le pusieron *De verdwijning*. Leí lo que me enviaba acerca de la vida, la muerte y la supercheria, y lo guardé. El estilo de Yosee es sucinto, cordial, pero también doloroso; un reflejo no solo de cómo opera su mente, sino también de las discusiones que solíamos mantener. Él sostenía que los judíos belgas nunca nos sentíamos realmente cómodos, y que estábamos cada vez más en peligro debido al rápido crecimiento del número de los inmigrantes musulmanes. Para Yosee el futuro era asfixiante, inseguro.

He releído atentamente lo que Yosee me envió. Que después de todos estos años haya decidido enviarme estas cosas –he cambiado varias veces de domicilio de la última vez que nos vimos–, sería una prueba de que la amistad se sobrepone a los desacuerdos pasajeros. Pero también prueba que la diferencia no está zanjada; que, clandestinamente, Yosee sigue ansioso de probar que tiene razón. ¿O acaso, finalmente, ha capitulado y aceptado mi punto de vista?

* * *

Yosee y yo nos encontramos por primera vez hace más de dos décadas, en un viaje a través del desierto del Sinaí, poco antes de que el ejército de Israel invadiera El Líbano. Yosee trabajaba en un *kibutz* cerca del Mar de Galilea; yo estudiaba en la Universidad Hebrea. Creo que la vez siguiente que nos vimos fue en Tel Aviv, en un teatro donde representaban una obra de Ephraim Kishon. A la salida encontramos un café acogedor en la calle Dizengoff y hablamos durante horas acerca de los desafíos de la Diáspora judía después de Auschwitz. Que él fuera de Charleroi (aunque su familia se había mudado a Bruselas cuando él tenía 12 años), y yo de la ciudad de México, dio lugar ha muchas situaciones graciosas. Ninguno de los dos se sentía cómodo hablando en hebreo; su castellano era un sendero lleno de charcos, y yo solo me pude hacer entender en holandés –con la ayuda de un *ídish heymish*– después de beberme un par de cervezas. Nuestro canal de comunicación era entonces un idioma inventado, que sonaba como una traducción de *Eugen Oneguin* al ruso hecha por Edmund Wilson a partir de la versión literal inglesa de Vladimir Nabokov. Otro día Yosee y yo viajamos a Masada, y después nos fuimos a nadar al Mar Muerto. Fue en ese viaje cuando Yosee dijo algo así como que quería volver a Bélgica, vender todas sus cosas y regresar a Israel para hacer su *Aliyah*. "Solo en Israel un judío está a salvo de la adversidad", recuerdo haberle escuchado.

Cuando dejé Jerusalén, después de mi primer año de estudiante, coincidimos con Yosee en el mismo vuelo a Munich. Pasamos el tiempo hablando de las obras de arte que los nazis habían robado a los coleccionistas y enviado a Praga, con la intención de convertirlas en un museo de "la raza judía deaparecida". Nos separamos: yo recorrí Europa solo, con mi mochila al hombro, y unos meses más tarde los visité, a él y a su familia, en Bruselas. Me alojé en un apartamento que pertenecía a un viejo compañero de colegio de él, a unas pocas cuadras de la Rue Royale, y a un paso de la Gare du Nord. En algún momento de la semana que pasé allí Yosee me llevó a ver una puesta de *El Misántropo*, con Soëtendrop en el papel protagónico. Mi amigo me dijo que Soëtendrop era uno de los mejores actores de Bélgica, y que lo conocía porque ambos se habían encontrado en Jerusalén. En aquellos días era difícil en Israel encontrar guías de turismo que hablaran holandés, la lengua neutral de la mayoría de los visitantes belgas. Yosee no solo lo hablaba, sino que además era un apasionado de la arqueología bíblica, de modo que, mientras vivía en el *kibutz*, una agencia de turismo lo había contratado para hacer un dinero extra como guía de visitantes holandeses.

Soëtendrop –me contó Yosee– era una figura que se destacaba en medio de todos, no por su temperamento –podía ser a la vez encantador e hiriente– sino a causa de su fama. "Todo el mundo había visto *Doktor Travistok!*, el filme, dos veces por lo menos", aseguró mi amigo, y agregó categórico: "Es extraordinario haciendo de científico distraído".

La Ciudad Vieja es un lugar de encuentro excepcional, que hace intimar a la gente y estimuló la relación entre Yosee y Soëtendrop. De regreso en Bruselas, el actor invitó a mi amigo a su casa en Deventer, donde conoció a su esposa Natalie. Ese mismo año celebraron juntos Hanukkah y comieron una cena que según Yosee fue "una bacanal", con *latkes* del tamaño de un salmón, quesos españoles, sopa de espárragos, suflé, y ensalada con frambuesas silvestres. Las porciones de Soëtendrop eran dignas de Gargantúa, según Yosee. "Los judíos y la comida..., compañeros eternos. En ciertos momentos Maarten parecía una criatura de Rembrandt". Resultó que fue la última vez que mi amigo vio en persona al actor.

En el papel del Alcestes de Molière, Soëtendrop me pareció extravagante. El papel estaba compuesto a base de gestos esquemáticos. Su corpulencia era resaltada por un vestuario hirsuto; antes de entrar en el diálogo movía la cabeza como una hiena que devora a su presa, y cada vez que tenía que pronunciar la letra "t", improvisaba una especie de tartamudeo. Tal vez porque mi amigo me había contado las aventuras que vivieron juntos en Jerusalén, me imaginaba que, fuera del escenario, hablaría con voz fuerte y resultaría un agobio. A medida que lo conozco más, me da la impresión de estar incómodo consigo mismo *en la vida real*, como si cuerpo y alma se negaran a llevarse de acuerdo". Yosee enfatizó las dos palabras como si para Maarten Soëtendrop la frontera entre este mundo y el de la imaginación se hubiera desdibujado. Recuerdo que pensé si todos los actores sufrirían del mismo sentimiento de irrealidad. En todo caso el hecho de que mi amigo conociera a Soëtendrop personalmente hizo que Molière me resultara agradable. Al terminar la obra, Yosee me preguntó si estaba preparado para saludar al actor en su camarín. Me excusé: a menos que me paguen para representarlos, nunca sé bien de qué hablar con los famosos.

Parece que la desaparición de Soëtendrop había sido metódicamente planeada durante varias semanas. Su obesidad no da la impresión de haber sido un obstáculo, porque se movía con agilidad, incluso en el hospital, cuando toda su odisea había terminado. Era un maestro del fingimiento. ¿Dudó alguna vez de su talento para conjurar una verdad paralela, para hacer creer a la gente que él, el más admirado de los histriones de Bélgica, había sido maltratado por una banda de matones?

* * *

Los hechos básicos son incuestionables. En la frígida noche del jueves 3 de diciembre de 1987, el comisionado de policía de la ciudad industrial de Charleroi anunció en una conferencia de prensa orquestada de urgencia que Soëtendrop, de gira como el Sir John Falstaff de *Las alegres comadres de Windsor*, no había aparecido a la hora usual de las 6 y 3 de la tarde para prepararse para la función nocturna. Treinta y cinco minutos más tarde, el director de escena alertó al productor, quien sabedor de la personalidad tempestuosa del actor, pero consciente de su puntualidad inigualable, pidió paciencia. El hotel donde se alojaba fue puesto sobre aviso. Se hicieron repetidas llamadas telefónicas a su habitación y, finalmente, con el permiso del productor, la revisaron. El restaurante y el bar que Soëtendrop frecuentaba fueron también alertados. A las 8 y cuarto la función de la noche fue cancelada y, poco después, se anunció la búsqueda. Puesto que el comisionado de policía no quería que la prensa se le adelantara con la noticia *avanti la leerte*, emitió un anuncio:

"Maarten Soëtendrop es un actor distinguido. Es prematuro sacar conclusiones a esta altura de la investigación. Esperamos que reaparezca pronto y en buen estado". Un periodista independiente descalificó la búsqueda del comisionado de policía como prematura. "¿Acaso la policía se preocupa cuando desaparece un musulmán cerca de una mina de Bois de Cazier?" Toda la agitación se calmó rápidamente por la mañana, cuando un cartero entregó un sobre en la oficina del rabino Awraham Frydman, setenta y cinco kilómetros al norte de la ciudad. Una sola línea de texto descuidadamente mecanografiada anunciaba que Maarten Soëtendrop estaba en manos de Frente Juvenil Fascista Flamenco.

La noticia de la desaparición provocó una reacción inmediata en Bélgica. Los periódicos del sábado publicaron perfiles del actor y su carrera, conjeturaron acerca de la ideología del hasta entonces desconocido grupo neo-nazi, se preguntaron acerca del paradero de la víctima, y especularon acerca de la probabilidad de que el famoso hombre de teatro flamenco fuera asesinado. En los días siguientes una serie de notas igualmente desprolijas llegó a manos de otros líderes judíos, de un presentador de televisión, de miembros de la Cámara de Representantes, y de Natalie Soëtendrop. (En una de las notas se agregaba una cita en francés de la Constitución belga [Sección 2: Artículo 15]: *Nul ne peut être contraint de concourir d'une manière quelconque aux actes et aux ceremonias d'un culte, ni d'en Observer les tours de repos.*) Tras recibir la nota, Nattalie pidió piedad a los secuestradores, y urgió al gobierno a actuar inmediatamente, pero con responsabilidad.

"Durante la II Guerra Mundial, Bélgica se sumió en un silencio que nos convirtió en cómplices", escribe Yosee en su carta. "Esta vez, la gente estaba ansiosa de gritar".

En Holanda, en demostración de solidaridad, el sábado 12 de diciembre, más de una semana después de la desaparición de Soëtendrop en Charleroi, se organizó un acto en una iglesia de Amsterdam, que atrajo a policías y famosos. El presidente de Parlamento belga calificó al grupo fascista de "ratas que salen del agujero". Poco después, el ministro de Justicia habló de designar un fiscal especial para investigar las actividades neo-nazis.

El día de su última actuación como Falstaff en Charleroi, Maarten Soëtendrop, con su voraz apetito por la carne, el vino chileno y la publicidad, había cumplido cincuenta años. Tres días más tarde debía viajar con su compañía teatral a las ciudades de Lieja, Amberes y Gante. Como actor, poseía una estimada reputación tanto por su técnica escénica –era un fiel adepto del "Método"– como por su elección de papeles. El público no solo lo conocía por *Doktor Tavistok!*, sino también por filmes como *Locura blanca*, *Walpurgis*, y *La noche de los pájaros*. Había versiones de que había sido contratado para participar en *Amsterdamned*. Más aún, Soëtendrop era el productor de *La tía Julia*, de una exitosa puesta de una de las comedias menos conocidas de Pirandello, y del musical *Anatevka*, basado en *Tevye el lechero*, la novela en *ídish* de Sholem Aleichem. Su dramaturgo favorito era Chéjov.

El obituario de *De Telegraaf* describe a Soëtendrop como producto de "un origen mixto": padre judío –también actor– y madre cristiana. "La encarnación de un espíritu dividido", afirma Yosee. En 1944, cuando Soëtendrop tenía cinco años y su hermano Hugo casi tres, su madre abandonó repentinamente la familia. Desde hacía cierto tiempo mantenía una relación con un hombre casado, un colaborador de los nazis, llamado Siegbert Himmelstrup. Poco después, ella pidió el divorcio y, en 1944, se casó con su amante. Los hermanos se separaron.

Hugo permaneció en Bruselas, donde vivía con su madre, su padrastro y tres hijos de él. Maarten fue enviado a una granja cerca de Leeuwarden, en el norte de Holanda, donde durante dos años una familia lo ocultó de los alemanes. De acuerdo con Yosee, el episodio se convirtió en una fuente de vergüenza. "El judaísmo era para él algo que debía mantenerse en secreto. Tenía una mentalidad sometida. Estaba oculto porque era un ser inferior". Después de la guerra vivió durante algo más de dos años en Amberes con un tío paterno. Finalmente Soëtendrop fue enviado a un pensionado en Burdeos. En la década de 1960 buscó a su padre para poder hablar con él acerca de su mitad judía. Su pasión por el teatro –confesaba– provenía de ser distinto –un extranjero– en la cultura belga. Necesitaba la aprobación de su padre para mantenerse en los márgenes, para espiar desde afuera, para ponerse por encima, pero también tener el peso necesario para representar otros personajes, además de sí mismo. Su padre lo recibió, pero prefirió no responder a las preguntas de Soëtendrop acerca del pasado: "El silencio… ¿Es correcto definirlo como la ausencia de sonido? ¿No es una condición existencial?"

El obituario menciona un ensayo autobiográfico más bien pálido y poco explícito de Soëtendrop, publicado en 1991 en *Wertewelt des Judentums*, una oscura revista de teatro. Según Yosee, es allí donde Soëtendrop menciona que en 1979, siendo ya un actor en ascenso en el ambiente teatral de Bruselas, que en vísperas de Yom Kipur, tuvo lugar su conversión religiosa. En ese momento Soëtendrop era todavía soltero, pues aunque había expresado amor a varias mujeres, nunca había propuesto casamiento a ninguna. Más adelante examinaba el vacío existencial en su interior. "Había perdido contacto con mi voz interna", escribe Yosee, citándolo. Soëtendrop descubrió que las grandes festividades judías estaban a punto de celebrarse. Vestido formalmente, y con zapatillas de tenis apropiadas para la ocasión, el actor se presentó en una sinagoga del barrio obrero de Anderlecht donde pululan inmigrantes musulmanes. Nunca en su vida había presenciado las plegarias, y la melodía del Kol Nidre enterneció su corazón. Pocos meses después visitó Jerusalén, con Yosee como guía. Una amigo le dio un ejemplar de *La estrella de la redención*, del filósofo alemán Franz Rosenzweig, que leyó con dificultad pero con admiración. Comenzó a tratarse con un psicoanalista llamado Herman Musaph. De manera imprevisible, las sesiones con este ratificaron su fe.

En los primeros días del invierno de 1987, Soëtendrop se encontraba en un estado de parálisis. En una entrevista, Natalie Soëtendrop lo describe como "taciturno, presionado", pero cuando los periodistas insistieron, ella se negó a ser más precisa. Su reticencia resultó ser un golpe de suerte. El Falstaff fue universalmente aplaudido por todos los críticos en toda Bélgica y las entradas se agotaron rápidamente. El mismo día de su desaparición, la revista *Dag Allemaal* publicó un largo elogio.

* * *

Lo que trascendió mientras Soëtendrop estuvo supuestamente secuestrado por el FJFF es todavía materia de conjeturas y rumores. La jefatura de policía de Bruselas llevó la investigación hasta los límites geográficos del país. Las notas mecanografiadas fueron analizadas minuciosamente. Circularon rumores de que distintas organizaciones estaban relacionadas con el FJFF. Los periodistas analizaron el pasado de Soëtendrop en busca de claves. Surgieron indicios, pero no condujeron a ninguna parte.

Natalie Soëtendrop anunció por televisión su voluntad de pagar un rescate, no importaba su monto. Hubo rumores de que el gobierno había puesto a su disposición una suma de dinero para entregar a los secuestradores, con el fin de asegurar la liberación del actor. El ministro de Justicia lo desmintió rápidamente: "Bélgica no se pone en manos de rufianes. Si la familia Soëtendrop está dispuesta a pagar, es libre de actuar como desee". Poco después otra nota mecanografiada llegó a manos del rabino Frydman. Anunciaba que los secuestradores no estaban interesados en dinero. La suya era una lucha ideológica "para limpiar el país de basura".

Entonces, el miércoles 21 de diciembre, en medio de una cortina de remolinos de nieve, Maarten Soëtendrop, temblando, descompuesto, visiblemente golpeado, notoriamente más delgado, con las manos atadas a la espalda, con heces en el cabello, y sangre en el rostro, abdomen y suéter, fue descubierto por un transeúnte en un callejón sin salida cerca del Centro de Exposiciones Groeninge, en la ciudad de Brujas. "He sido secuestrado por el odio", dijo según las versiones.

Un reportero de *De Telegraaf* llamado Erik Eddelbuettel (autor del obituario que me envió Yosee) fue el primero en llegar al lugar. Detrás vinieron la policía, una ambulancia y el equipo forense. Fue Eddelbuettel quien descubrió una nota mecanografiada, pegada al suéter de Soëtendrop. Parecía estar en castellano: "*Judeos de mierda. ¡Furia!*"

"¿Recuerdas aquel día?", pregunta Yosee. "La noticia circuló por todo el planeta, incluidos los Estados Unidos. Me enviaste un comentario sobre un artículo que leíste en *The New York Times*".

Me había estremecido realmente cuando leí aquel artículo. Los recuerdos de aquel prominente actor sobre el escenario de Bruselas vinieron a mi mente como un cometa.

Su reaparición con vida me hizo sentir bien pero me encolerizó la publicidad cosechada por los neo-nazis a expensas de Soëtendrop. Guardé el recorte del periódico y pensé que confirmaba la convicción de mi amigo Yosee que luego de la creación del Estado de Israel la diáspora ya no estaba justificada. Sentí curiosidad por saber qué había sucedido a Soëtendrop durante su desaparición. ¿A qué torturas lo habían sometido? ¿Podría superar los largos periodos de depresión asociados con incidentes de esta naturaleza?.

Es inútil decir que no hubiera podido imaginarme los retorcidos enredos detrás de este asunto. Un día después de su desaparición, Soëtendrop, en mejor estado, pero todavía en el hospital, contó cómo había sido secuestrado en un bar, por un hombre solo "de aproximadamente mi mismo tamaño, tal vez un poco más bajo que él, y por cierto más delgado". Lo empujaron adentro de un automóvil, donde lo ataron y le vendaron los ojos. Le arrancaron la Estrella de David que llevaba en el cuello. Más tarde se encontró en el túnel de una cloaca, untado de heces y con una esvástica pintada en el pecho. Recordaba haber sido golpeado en el estómago, y haber perdido el conocimiento. La humillación llegó al extremo cuando, consciente de donde se hallaba, fue obligado a besar una pequeña fotografía de Adolf Hitler.

Natalie Soëtendrop corrió al lado de su esposo. Actores, políticos y líderes religiosos desfilaron por el hospital. Hermann Musaph fue entrevistado por la televisión. "Musaph es un sobreviviente de Treblinka", dice Yosee. "Dijo a los telespectadores que, con la excepción de Polonia, más judíos habían muerto en Bélgica y Holanda por la guerra que en cualquier otra parte".

Al día siguiente Yosee envió una tarjeta postal de saludos a Soëtendrop. Nunca recibió respuesta. Más tarde supo que el primer día que pasó en el hospital, el actor recibió más de trecientas tarjetas postales.

* * *

El 6 de enero, un mes y tres días después que comenzara el drama de Soëtendrop, el actor confesó su auto-secuestro. Con 15 kilos de peso menos, se lo veía extraordinariamente elástico. Él mismo había urdido todo, desde sus propias heridas hasta el comando neo-nazi y las notas mecanografiadas, incluida la redactada en un castellano defectuoso. La simpatía colectiva prontamente se convirtió en abierta animosidad. El público estaba furioso; había confiado en su actor, pero el drama mismo resultaba una mentira. Nuevas manifestaciones empapelaron las calles. Se habló de represalia. El departamento de policía le envió a Soëtendrop la cuenta de los gastos causados (que fue diligentemente pagada). En las paradas de los autobuses aparecieron esvásticas pintadas. Un cementerio judío fue profanado. En Bruselas, la sinagoga del distrito de Anderlecht, donde Soëtendrop había encontrado su fe durante la ceremonia de Yom Kipur, fue incendiada con una bomba Molotov. "¿Te sorprende que el actor y su esposa no hayan respondido, y se retiraran a su residencia de Deventer?", pregunta Yosee. "Maarten estaba avergonzado por sus actos, pero nunca encontró las palabras apropiadas para expresar sus emociones. No es de sorprenderse. Cuando se trata de la culpa, ¿somos los belgas –incluso los judíos belgas– capaces de encontrar esas palabras?"

Describir las razones detrás de la equivocada autoflagelación de Maarten Soëtendrop es ratificar –por si fuera necesario– que la realidad siempre supera a la más barroca de las dramaturgias. Mi coartada es que no hay nada inventado en esta historia. En su obituario, Eddelbuettel arguye que el actor había participado en varias iniciativas judías para impedir la presentación de *La basura, la ciudad y la muerte*, una obra teatral antisemita de Rainer Werner Fassbinder, que debía estrenarse en Bruselas en 1986. La obra trata de Roma, una prostituta cuya suerte cambian por su encuentro con un especulador de Fráncfort, al servicio del ayuntamiento, llamado "El Rico Judío". Frank, chulo y marido de Roma, la abandona. Roma le pide entonces a su amante que la mate. Gracias a sus relaciones, el Rico Judío sale libre, en su lugar condenan a Frank. La obra había sido escrita originalmente en 1975. Su antisemitismo obligó a los funcionarios alemanes a frenarla. Un huracán de artículos de opinión, cartas al editor y programas de radio lamentó en Bélgica que la obra no fuera presentada, denunciando "la suspensión de la libertad de expresión". Tertulianos de la política sostuvieron que los tentáculos del *lobby* judío controlaban al gobierno. El *Frankfurter Allgemeine Zeitung* publicó sus opiniones. Suhrkamp Press hizo un libro con la obra. Pero el editor lo retiró de circulación y exigió a Fassbinder que cambiara el nombre al personaje del Rico Judío. El director se negó empecinadamente. En 1984, un par de años después de la muerte de Fassbinder, la Vieja Opera de Fráncfort intentó ponerla en escena una vez más. Otra vez el intento fue impedido. (Entretanto, la escuela de teatro Yoram Loewenberg la representó en Israel.) Otra compañía quiso montarla en Bélgica nuevamente, pero fracasó. El movimiento de protesta contra la obra de Fassbinder, encabezado por el rabino Frydman y apoyado por Maarten Soëtendrop, se afirmó. Un editor de Amberes la publicó en holandés. A mediados de 1987 fue leída en la radio pública belga. Pero ningún teatro aceptó poner en escena la obra de Fassbinder.

"¿De qué sirve el odio?", pregunta Yosee en su carta. "Las intenciones de Maarten eran buenas. Su estratagema podría haber obligado a un referendo en los Países Bajos, la tierra de Baruch Spinoza y Anne Frank, pero no en Bélgica, donde la 'amnesia mendaz' –una frase empleada por Soëtendrop– acumulada durante décadas sigue sin que nadie la denuncie. Por el contrario, acabó frente a un tribunal creado por él mismo, montado en un teatro tan grande como el mismo mundo. Quería comprender el poder del silencio. Pero en este campo le faltaba talento".

Cuando Soëtendrop hizo su confesión, el abogado describió a su cliente como un ser "en estado de pánico". Pero no perdió tiempo para declararlo inocente: "¿Acaso nuestro ilustre astro del teatro es más culpable que el resto de nosotros? Maarten Soëtendrop puede haber perdido la noción de los límites. Es un experto en teatro, pero no en delitos".

La única respuesta del actor se produjo cuando el ministro de Justicia exigió una disculpa "oficial". Soëtendrop se presentó ante las cámaras el jueves 1 de mayo de 1988, e hizo una declaración sospechosa, epigramática: "Si he ofendido de alguna forma al pueblo belga en particular, y a los Países Bajos en general, lo lamento profundamente. Mi vida ha sido un caos desde que tenía cinco años".

En el obituario de *De Telegraf*, Edelbuettel sostiene que Soëtendrop estuvo solo tres días en las cloacas de Charleroi. Disfrazado con ropas de mujer (peluca, vestido color lavanda, grueso abrigo de invierno), permaneció en un refugio para personas sin hogar hasta después de Navidad, cuando se mudó a un lugar en la Rue Émile Vandervelde hasta el 2 de enero. A la medianoche del día siguiente se introdujo subrepticiamente en su camarín del teatro, y cogió materiales de maquillaje, un cordón de cortina, un cuchillo y pintura.

Menos de cuarenta y ocho horas más tarde estaba en Brujas con todo su aparato teatral.

¿Se arrepintió realmente Soëtendrop? Según Yosse, no. "Hasta cuando se disculpó ante el ministro de Justicia –estoy convencido– Maarten seguía actuando. En realidad, siguió actuando hasta la sepultura".

En su carta, mi amigo ofrece pruebas convincentes. Es una denuncia contra los procedimientos del periodismo. "Los reporteros solo arañan la superficie. Son impacientes. La hora del cierre que se aproxima los distrae. De haberse preocupado por investigar detalladamente los antecedentes del actor –escribe–, habrían encontrado datos alarmantes. ¿Urdió él mismo su desaparición? Era un hombre inteligente. Pero algo lo angustiaba. Actuar aliviaba de alguna manera sus dudas interiores. Le daba la oportunidad de tomarse periódicamente unas vacaciones de sí mismo".

Yosee enumera valiosa información acerca del padre, la madre y el hermano de Soëtendrop. En la década de 1970, tras una carrera hecha en los teatros regionales, su padre se retiró y, en 1981, murió de un aneurisma. Con su hermano mayor se hablaba raramente. La relación entre Soëtendrop y su madre era aún más tenue. Es notorio que ella y uno de sus nietos lo visitaron en Lovaina, después de una representación de *Platonov*, con la intención de reencontrarse. Temiendo que ella fuera otra seguidora fanática suya, Soëtendrop se escabulló. Su madre intentó una nueva reunión. Aunque para entonces él ya sabía de quién se trataba, se negó a verla. Ella murió en 1994 durante un viaje a Grecia.

"La relación con Hugo Soëtendrop es más complicada", agrega Yosee. En *Wertewelt des Judentums*, las secciones dedicadas a él llevan por título "Pandemonio". Son reseñas de su tensa relación, donde describe a Hugo como "un hermano afectuoso que aprendió a odiar". Pero ocultan más de lo que revelan. Por ejemplo, Soëtendrop remarca –diecinueve veces en total– que desde que partió a la granja de Leeuwarden, él y Hugo no volvieron a verse ya más. ¿Por qué pone tanto énfasis en esto?"

* * *

Luego de leer el ensayo autobiográfico, Yosee envió una nota a Soëtendrop, felicitándolo. Una vez más, Soëtendrop no respondió. Yosee, sin embargo, seguía intrigado. Buscó el nombre de Soëtendrop en el registro nacional de nacimientos, y lo encontró. Luego revisó los índices telefónicos; esta vez fue un fracaso. Una referencia hallada en un anuario escolar de Kortrijk lo condujo a un tal François Soëten; pero fue un callejón sin salida. En Roeselare encontró una mención de la compañía cervecera Sutendrop. Buscó entonces al padrastro de Soëtendrop, Siegbert Himmelstrup. Dio con todo un archivo. Himmelstrup parecía ser un trabajador metalúrgico de Amberes, un católico devoto de 67 años, casado y con cuatro hijos: Heinrich, Julian, Ute y Elfriede. Una serie de fotos de archivo dieron a Yosee la respuesta de lo que buscaba. Hugo Soëtendrop había sido bautizado –y reeducado– como Julian Himmelstrup y militó en la Liga Juvenil Nazi. Luego de la guerra había estudiado ingeniería en Bielefeld, Westfalia, y regresado finalmente a Bruselas. Durante un corto tiempo vivió en Madrid, donde se inscribió en un curso sobre la Guerra Civil Española. "Fue castigado por el Destino", escribe Yosee. "Hugo vivió en Brujas, donde trabajó a tiempo parcial en el Departamento Federal del Medio Ambiente. Por entonces ya estaba divorciado y sé poco acerca de su segunda mujer, pero lo llevó mal y después de tres embarazos frustrados, ella lo abandonó. Alejado de todos, Hugo vivió en un cuarto alquilado, cerca de la Rue Émile Vandervelde. Como su padrastro, a quien adoraba, siguió adherido al nazismo aún después de la guerra. Por el contrario, hasta el final estaba convencido de que la gran misión de Hitler de mejorar racialmente a Europa sería completada un día *totalmente*".

Hugo siguió la carrera de su hermano con una mezcla de asombro y resentimiento. Se mantuvo distante porque le desagradaba la renovada fe judía de Soëtendrop. Su rechazo cambió luego de las protestas contra Fassbinder. En opinión de Hugo, Bélgica hizo un irreversible pacto con el diablo al prohibir *La basura, la ciudad y la muerte*.

Sabedor de que Soëtendrop estaba apalabrado para intervenir en un acto organizado por el rabino Frydman, Hugo se ocultó entre la multitud. ¿Alcanzó también Soëtendrop a reconocerlo? Hugo escuchó a su hermano decir un discurso acerca de los peligros de la amnesia. "Fue entonces cuando planeó el secuestro de Maarten", escribe Yosee. "¿O fue al revés? Confieso que en esta parte de mi investigación me muevo en terreno resbaladizo. Pero eso no la hace menos verosímil. He descubierto, por ejemplo, que Hugo –conocido también como Julian Himmelstrup– renunció al Departamento Federal del Medio Ambiente el 27de diciembre de 1987. El día antes, la habitación que alquilaba quedó libre. 'Una vieja se llevó todo', me dijo el dueño. 'Me dijo que el señor Himmelstrup se sentía mal. Como me pagó la última mensualidad, no me preocupé por los detalles'. La Olivetti empleada para escribir las notas supuestamente escritas por el Frente Juvenil Fascista Flamenco fue finalmente hallada".

Aquella fría tarde del 3 de diciembre, en Charleroi, Hugo se encontró con su hermano, una réplica algo bebida de él mismo, más vieja –y más extraña– que él mismo, en un bar cerca del teatro. "¿Lo reconoció Maarten? No hay modo de saberlo. A diferencia de su hermano, Julian Himmelstrup era delgado, pálido y con unos dientes que habrían causado repulsión hasta a los ingleses. Era de nadie. Esa tarde llevaba puesto un sombrero de copa ovalada y alas vueltas para arriba. Probablemente ninguno de los dos pensó que el reencuentro duraría mucho. He intentado imaginar el diálogo que mantuvieron, pero era difícil para una generación que no había sido educada para emplear las palabras. Caminaron juntos unas cuadras y luego desaparecieron. No creo que *De verdwijning* estuviera decidida en la mente de ninguno de los dos, como los medios nos lo hicieron creer. Todo fue improvisado, como suele serlo cuando la locura se impone. Pero esta clase de locura resultó más coherente, más inteligible. Uno de ellos –¿fue Maarten?– dejó en libertad a su *pathos*. ¡Ah, los medios! ¿Existe un teatro menos confiable? No confío en las entrevistas concedidas por Natalie Soëtendrop, Luuk Hammer, nadie... Me parce como si yo mismo, o cualquiera, hubiera sido invitado por casualidad a la mayor representación teatral que se pueda imaginar. Harry Mulisch, que en 1995 obtuvo el Prijs van de Nederlandse Letteren, publicó una novela-drama (la llama "una contradicción") compuesta por un par de monólogos y un intermedio. Está narrada durante el funeral de Soëtendrop. Maarten se convierte en Herbert Althans y Natalie, en Magda. Pero esto distorsiona la complejidad de los acontecimientos; se debe a que la literatura es siempre un juego. ¿Por qué distorsionar lo que ya está confundido?

Yosee visualiza la sombría escena en la que los hermanos llegan a las cloacas de Charleroi. "La ciudad fue construida en 1666, el año en que el seudo-mesías Sabbatai Zevi –quien acabó cometiendo apostasía y convirtiéndose al Islam– esperaba el fin del mundo. En aquel tiempo, España dominaba los Países Bajos. El objeto de la obra era construir una fortaleza para impedir el avance de las fuerzas de Luis XIV. El sistema de cloacas es una siniestra red de calabozos simétricos. Maarten y Hugo recorrieron el laberinto hasta que encontraron una gran cámara húmeda con un aire fétido. Apenas entraba un fino rayo de luz. El recuerdo de la "bacanal" de Hanukkah que pasé con Maarten y Natalie contrasta vivamente en mi memoria. Durante horas los hermanos permanecieron mirando sus mutuas sombras. ¿Habían hecho otra cosa en su vida? Entonces Maarten dijo probablemente: 'Creía que te había matado dentro de mí hacía tiempo. Pero cuando vi tu rostro en la multitud comprendí que estaba errado. Cuando hayamos expiado la culpa que fuimos obligados a heredar –lo que los alemanes llaman *Schuld*– probablemente solo uno de nosotros emerja de esta oscuridad'".

El párrafo final de la carta de Yosee es el más elocuente: "Así que aquí está: otra versión de la historia de Caín y Abel. Según Eddelbuettel, antes de su muerte en el hotel de Charleroi, en la Rue de la Providence, Maarten estaba peligrosamente obeso: pesaba cerca de 135 kilos. En los últimos años, el público lo reconocía mayormente por sus anuncios de jabón en la TV. Es poco más lo que sé, excepto que él y Natalie oraron en la elegante sinagoga sefardí de Bruselas, en la Rue du Pavillo, y que él donó dinero para que el Museo Judío de Bélgica pudiera recuperar las obras de arte robadas por los Nazis. Y, por cierto, Maarten seguía siendo cliente de los restoranes franceses más refinados. ¿Pecaba por la boca como compensación por su falta de palabras? Son preguntas sin respuesta. ¿Cuándo inventó Maarten la FJFF? ¿Quién mecanografió las notas enviadas a su esposa? No tiene importancia. El hecho es que Hugo no volvió a ser visto. He averiguado en hospicios, morgues, registros criminales. Parece haberse hecho humo. En nuestras discusiones, Ilan, yo sostenía siempre que Israel resolvería finalmente los dilemas de la Diáspora. Haría del judío un hombre hermoso, bronceado, guerrero. Nuestro antiguo sentimiento de inferioridad –el jorobado metafórico que hemos llevado con nosotros durante generaciones– desaparecería de una vez para siempre: basta de pedir disculpas, basta de complejos de inferioridad. Como sabes, traté de ponerme a la altura de mis opiniones haciendo mi *Aliyah*. No resultó. Me convertí en un abogado especialista en juicios por indemnizaciones para las víctimas del Holocausto. Quería hacer el bien, después de tanto mal consentido. Pero el mal es un componente esencial de la Naturaleza, al contrario del bien. Uno no puede existir sin el otro. Bien mirado, soy una criatura de la Diáspora como tú, que mira confortablemente las cosas desde afuera. Durante siglos los judíos preservaron el tabú contra la idolatría. Entre otras cosas, significaba que estaba prohibido ser actor. La prohibición fracasó: en cierto sentido, todos los judíos somos actores. El arte de la impostura está grabado en nuestro ADN. ¿Cómo podríamos existir, si no, sin las contradicciones que llevamos dentro? ¿De qué otra manera podríamos fingir que llevamos una vida feliz, rodeados de extraños, y sin embargo soportar nuestro sin igual dolor? La odisea de Maarten me asusta. Puso cara seria frente a millones de personas, mientras fingía que había sido secuestrado. La gente le creyó. ¿Pero quién acabó perdiendo?"

La carta de Yosee Strigler llevaba un matasellos de Israel.

Traducción al castellano de Martín Felipe Yriart

El ciempiés

A ti que te gustan los impostores, Ilan, tengo uno que te sacará de tu sano juicio, dijo por teléfono Martín Carrera, el dueño de La Veracruzana.

Esa fue la noticia inicial que tuve de El Ciempiés. Carrera añadió que era indocumentado.

Se presentó en el restaurante como Hermenegildo Saúl Galeana.

Imposible, le dijo Carrera. Hermenegildo Galeana fue un héroe de la Independencia mexicana. Si fueras Hermenegildo Galeana, ya estarías bien muerto, añadió Carrera.

Así mero, respondió El Ciempiés.

Esa era la primera de las sus dos expresiones favoritas. La segunda surgió cuando Carrera inquirió cuál era su verdadero nombre. El Ciempiés ofreció una lista extensa: Luis Loya, Esteban Baca Calderón, Jorge Espinoza Ríos, Luis Manuel Chávez, Johnny Montoya García... Habría seguido declamándola si Carrera no lo hubiera interrumpido.

¿Pero cuál es el bueno?

Pos no sé.

Le dijo a Carrera que su alias le venía bien porque caminaba a todas partes. Nunca he viajado en avión, añadió. O en tren. Y no tengo automóvil.

La afirmación impacta si se considera que El Ciempiés nació en Apatzingán, Michoacán. La lechuga se cosecha en el Salinas Valley, de donde era John Steinbeck. La Veracruzana está en Northampton, Massachusetts. Se hace lo que se puede con lo que se tiene, ¿o no, don Martín?

Yo lo conocí un par de noches después de cenar en el restaurante. Vente pa'acá, Hermenegildo, dijo Carrera. Tómate una cerveza con nosotros.

El Ciempiés apenas llegaba a los treinta años. (Supe después que su cumpleaños y el mío tienen una misma fecha). Era de ojos café, cabello hirsuto, facciones delicadas y piel angelical.

Contó que había cruzado la frontera un total de trece veces, la primera en enero de 1996, antes de cumplir los quince años. Todo es cosa de saber desorientar a la migra, dijo. Los polis piensan que los mexicanos somos todos unos mensos. Lo que hay que hacer es seguirles la corriente. Luego les doy un nombre falso. Pongamos Martín Carrera. Y diez dígitos del ss, los que sean. Las IDs cuestan menos de veinte dólares. Uno puede cambiarse la apariencia con un bigote postizo, un lunar en la mejilla, pestañas postizas, un arete. ¿Pa' qué sirve ser honesto? El mundo entero de mentira. Así como me ven, ando como pirinola. Dijo que lo habían arrestado cuatro veces, que lo habían deportado siete y que había estado cinco semanas en la cárcel.

Y añadió proféticamente: Pero la pirinola ya no tiene cuerda.

No volví a saber de El Ciempiés hasta escuchar la noticia en televisión algunas semanas después.

Un grupo en Harvard protestaba por la expulsión de un estudiante indocumentado. Y vi el desplegado en las páginas de *The Boston Globe*. El nombre del estudiante era Juan Gustavo Herrera. Tres días antes el estudiante había defendido su tesis doctoral. Su título era "'*El Piolín de la Mañana' and Spanish-Language Radio in California*".

En las fotografías El Ciempiés vestía con jersey y corbata. Había estado en la cárcel pero estaba libre luego de que alguien –un alguien secreto– pagara la fianza. Un vocero de Harvard aseguró que la decisión de otorgarle el doctorado a pesar del clamor político no había sido sencilla. Hay quien lo retrataba como un embaucador, aseveró, un fanfarrón, un patán. Pero su impostura tiene perdón porque su objetivo siempre ha sido claro: mejorarse a sí mismo.

Esa tarde Carrera me citó en La Veracruzana. Me presentó a una empleada llamada Flavia que era amiga de El Ciempiés. Ella lo admiraba. Habían trabajado juntos en Salinas en una cantina llamada *La cabeza de Descartes*. Manolín era inteligente. Le gustaba leer. Su escritor favorito era Roberto Bolaño: el que es chileno, no el actor de Chespirito.

Pregunté si su acta de nacimiento decía Manuel.

Manolín, Manolo, Manuel, Manuelito, Manolito, Mancho, repuso. Y añadió: Javier, Javi, Jofaina, Jacaranda, Jícama, Jus, Jojo, Jojutla…

¿Y su nombre auténtico?

Ya sabe usté que no tiene nombre auténtico.

¿Desde cuándo estudia en Harvard?

Hace tres años. Pero se matriculó mucho antes. Sus calificaciones siempre son excelentes.

Con afecto y no sin un dejo de nostalgia, Flavia se refería a él como Manuel. Dijo que después de la fianza había desaparecido. Nadie sabía dónde estaba.

¿Para qué estudiar un doctorado sin papeles? Nunca podrá ejercer.

No importa, añadió Flavia. El Pitorro no hace las cosas pa' ser rico. O pa' que los demás lo quieran. Las hace pa' probar que puede hacerlas.

Le pedí que me explicara.

Chucho sabe que nuestro peor delito es ser mexicanos, sugirió. Los mexicanos somos como las cucarachas. Él quiere demostrar que las cucarachas sí pueden.

¿Sí pueden qué?

No, así nomás. Que sí pueden. Así mero.

Fue entonces cuando Carrera, en tono reacio, le pidió a Flavia que dejara de mentir.

No es que mienta, dijo ella. Hizo un silencio y agregó: Okay, Cuco es mi hermano. Es un necio. Le gusta ir en contra de la corriente. Además, es maricón.

Salida de la boca de Flavia, la palabra *maricón* en no era una afrenta sino un desafío. Dijo que en Michoacán, tierra de narcos, no es fácil pa' un hombre estar con otro hombre. Por eso se peló de Apatzingán, cuando leyó en una enciclopedia que la enfermedad que tenía era pa' siempre. Cruzó la frontera en Texas.

Un amigo lo escondió por quince horas en los arbustos del jardín de la casa de unos señores ricos. Al llegar a San Diego buscó a una tía. Meses después estaba inscrito en una prepa. Lo que quería era saber pa' qué hizo Dios a los maricones. Pero esa pregunta se fue ampliando y le empezó a gustar el estudio. Se graduó de la prepa en 1999. El nombre en el certificado es Jorge Arbusto.

Le dije a Flavia que ese nombre en particular me resultaba sospechoso.

Sí, sí, entonces era Jorge Arbusto, como el gobernador de Texas.

Entre 1999 y 2001 El Ciempiés estuvo en un colegio comunitario y luego se matriculó en Fresno. Por un año estudió en Santa Barbara. Se graduó *summa cum laude* de Farmingham. Le dieron una beca en Michigan. Y de allí a Harvard. La colegiatura se la regalaban las instituciones.

Pa' sobrevivir, se dedicaba a la cosecha. Piqueteó algodón, tabaco, tomate, naranja, fresa... Cómo le haces, manito, le preguntó una vez. Ay, Flavia, pos no sé. Los gringos le hacen a la cirugía plástica. Cambiarse de nombre es menos costoso.

El Ciempiés le mostró un cajón donde tenía diecisiete licencias de conducir.

Eso sí, amplió Flavia, el 15 de cada mes le manda una remesa a mi madre: doscientos dólares, ni más ni menos. El dinero le sirve a la viejita pa' su chocita. Bernardito ha pagado pa' que la municipalidad asfalte la calle donde está la chocita. Y de sus dólares sale pa' la colegiatura de una de las sobrinas, que quiere ser enfermera. Yo ayudo un poco también, no crea usté. Pero Francisco es ducho pa' la lana. Por lo menos más que yo.

¿Y esta es la primera vez que lo expulsan de la escuela?

Qué va. Lo expulsaron de Fresno porque la uni dedujo que su ss era chafa. Los impuestos que pagaba terminaban en el vacío. O alguien se los clavaba. Y lo echaron de Santa Barbara.

A mí todo el cuento me parecía descabellado.

Ah, es porque usté es gringo, don Ilan, y se cree las mismas tonterías.

¿Y no tiene negocios con los narcos?

Usté se pasa de la raya, don Ilan.

¿Qué pasará ahora que lo echaron de Harvard?

Nada, Flavia respondió. ¿Qué va a pasarle? Gustavito es de plástico. No se rompe.

Harvard fue presionado por ciertos políticos para revocar el doctorado pero al final la universidad se salió con la suya. Según Flavia, el diploma fue enviado a su madre en Apatzingán.

La última noticia que tuve de él es que cruzó la frontera nuevamente. Pero Michoacán no le gustó. Demasiada violencia. Ahora vive en España.

A raíz del escándalo, la gente se refirió a El Ciempiés como el inmigrante profesional y el enmascarado.

Se dirá que su trayectoria es anómala. ¿Qué historia no lo es?

Morirse está en hebreo

The answer is always a form of death.
–John Fowles, *El mago* (1965)

Para Abraham Slomianski

La muerte alcanzó a Moishe Tartakovsky, un rico industrial del cuero y orgulloso dueño de un bien redondeado vientre del tamaño de una *sandía*, menos de un mes antes de su septuagésimo cumpleaños.

Era un viernes, a eso de las 9:3 A.M. Moishe estaba en el Centro Deportivo Israelita, mejor conocido en la Ciudad de México por sus iniciales, CDI, donde pasaba sus mañanas nadando largos en la piscina y caminando por la pista, y sus tardes, jugando al póker.

El alarido que siguió a su súbito colapso, un aterrado, desesperado "¡*Dios mío, un muerto*!", fue lanzado por un anónimo atleta de flamantes zapatillas Nike nuevas que pasaba. La voz no llegó a Elías Fischer, el dueño de la cadena de restoranes, amigo de Moishe y contador, de quien la gente decía siempre que se parecía a Jimmy Stewart, hasta pocos instantes después. A Fischer le tomó unos segundos más establecer la relación. "¡Ay, ¿y si el caído fuera mi cuate?"

La noche anterior los dos habían cenado en un restaurante fino, cerca del apartamento de Moishe, en el barrio de Polanco. Moishe había hecho chistes y reído hasta tarde.

Cuando Fischer volvió a verlo sobre la pista, parecía un toro. "¡Quiero aprovechar el día!", había dicho Moishe, antes de que cada uno comenzara su plan de ejercicios. Cada vez que se cruzaban en la pista, se saludaban, y para las 1:15 probablemente ya estarían listos para darse una ducha.

Cuando comprendió que Moishe podía haber sufrido un ataque al corazón, Fischer corrió a él a toda velocidad. "No debes morirte. ¿Qué va a hacer tu familia sin ti?", le rogaba. Intentó bombear el pecho de Moishe, hacerle respiración boca-a-boca. Pero todo sin éxito. Mientras Fischer tenía la cabeza de Moishe sobre sus rodillas, le pasó por la mente una frase oída alguna vez: *Dios propone y el hombre dispone.* Al azar, pensó si la muerte de Moishe habría sido consecuencia de un hipo de Dios. La idea le pasó por la cabeza porque en el último sermón de Yom Kipur, el rabino Sapotnik, formado en Buenos Aires y líder de la Congregación Beit Yitzhak, había descrito la insignificancia de la vida humana en esos términos. "El Todopoderoso sacude y sus criaturas son sacudidas", había dicho el rabino.

A pesar del tráfico de una infernal mañana de viernes, la ambulancia de la Cruz Roja con dos auxiliares médicos tardó menos de veinte minutos en llegar. "¡Qué estúpido!", pensó Fischer. "¿Para qué llamar una ambulancia, si todo lo que podrán hacer es llevarse el cadáver?" Había sido el guardia de la entrada principal quien, a través del *walkie-talkie* había pedido a un colega que llamara al 66. Todos sabían ya que la víctima había muerto. Había que llevar el cadáver a la morgue, no a un hospital. Aunque el guardia llevaba tres meses trabajando en el CDI, nadie le había dicho que los judíos no pueden ser llevados a la morgue.

Fischer estaba al lado, de pie.

–No hay nada que hacer, señor, anunció el asistente médico a cargo.

El otro evaluaba lo sucedido mientras reunía la información necesaria para rellenar los formularios médicos correspondientes.

–El Servicio Médico Forense está avisado –dijo el que estaba a cargo–. Llegarán aquí en cualquier momento. Es responsabilidad de ellos llevarlo y hacerle la autopsia.

–Lo lamento, pero no habrá autopsia, le respondió Fischer. Me ocuparé de él. La fe judía prohíbe manosear un cadáver.

Los dos asistentes hicieron un gesto de impaciencia. Uno de ellos dijo:

–El muerto está en el Estado de México. La ley es la ley. Se encuentra bajo la jurisdicción de la unidad forense.

–Lo dudo, replicó Fischer. Mi querido amigo Moishe Tarkovsky, que su alma descanse en paz, vivió como un judío. Su cuerpo está bajo mi jurisdicción. Además el Centro Deportivo Israelita está justo en el límite del Distrito Federal con el Estado de México. ¿Quiere que se lo demuestre con la *Guía Roji*?

El equipo de la Cruz Roja estaba visiblemente frustrado.

–En México todo el mundo es un hijo de Cristo, anunció el segundo asistente, en voz más alta.

–Créame, él no, afirmó Fischer con una voz aún más fuerte.

Hugo Bergman, tesorero del CDI y compañero de póker de Moishe, se unió a la conversación. Acababa de hacerse un masaje y atenderse por el pedicuro, cuando oyó rumores de que el cadáver de la pista era el de Moishe Tarkovsky, nada menos.

–Soy médico –mintió Bergman–. Trabajo en el Hospital Inglés.

Y procedió a examinar el cadáver. No se molesten, continuó. Este hombre es paciente mío. Tiene ataques. Está vivo.

El anuncio sorprendió a los auxiliares. Cuando le pidieron su credencial médica, les dijo que la tenía en el vestuario.

Fischer, que estaba distraído, no entendió al principio lo que quería decir. –¿Moishe está vivo?, preguntó.

Bergman le guiñó.

–Sí… Déjenmelo por mi cuenta.

Pero otra vez ya era tarde. En medio del tumulto los dos auxiliares habían cargado el cadáver en la ambulancia y en un segundo habían desaparecido.

Fischer recordó haber escuchado que uno de los auxiliares explicaba que el cuerpo sería guardado en una cámara refrigerada hasta que se realizara la autopsia.

–¡Puta madre! –dijo Bergman–. Para que tenga un entierro como se debe habrá que luchar contra una burocracia monstruosa.

Por la tarde, la familia Tarkovsky se vio envuelta en lo inevitable: rescatar a Moishe de la morgue y hacer los preparativos necesarios para su *levaya*. Lo primero llevó exactamente dieciséis horas y veintitrés minutos; lo segundo fue más rápido y fácil. Fischer llamó al rabino Sapotnik, quien a su vez dejó que la *Chevrah Kadishah* manejara toda la logística. Por fortuna, entre la muerte de Moishe y su descenso al lugar de su descanso definitivo estaba el Sabbath. El funeral fue concertado para el domingo.

México estaba en plena conmoción. Se avecinaba una elección presidencial, con implicancias espectaculares. Por todas partes la gente estaba excitada por la transformación radical que estaba a punto de producirse en un país conocido por su apatía electoral. Ernesto Zedillo, el presidente en ejercicio, finalmente se había negado a ejercer el dedazo, y el PRI, el partido gobernante, había elegido a puertas cerradas a su sucesor. Esta ruptura de la tradición había dado a los otros partidos un poder que nunca se habían imaginado; y en particular al PAN, un partido de centro-derecha. Vicente Fox, su candidato, era un antiguo ejecutivo de Coca-Cola, con escasa experiencia en política.

El sábado, Rosita Shein, la novia del Moishe del colegio secundario, quien a lo largo de los años había tratado de ocultar sus arrugas viajando a San José, en Costa Rica, para hacerse *el embellecimiento*, como lo llamaba, con un renombrado especialista, hijo de una legendaria actriz de TV, y que era famoso por haber operado la cara a su madre un total de diecisiete veces, estacionó su Porsche a un par de cuadras del apartamento de Moishe. Los dos habían salido durante tres meses, cuando ella tenía diecisiete años, pero hacía mucho que ella había dejado de estar enamorada. Habría sido el marido perfecto, aunque su familia pensaba que ella podría haber encontrado a alguien que no fuera un inmigrante, alguien con una situación económica más segura. Pero ella se negó a escucharlos. Pero cuando ella le confesó que había tenido una relación íntima con su anterior novio, y ya no era virgen, el mundo se vino abajo. Moishe se escandalizó, y dos días después, rompieron.

Ella acabó casándose con un óptico, que resultó ser un hombre promiscuo, de quien se divorció antes de que su hijo mayor tuviera edad para el Bar Mitzvah. Rosita había prometido a Moishe, antes de que la relación de ellos se rompiera, que si él moría primero, ella se ocuparía de que descansara en paz. Fue una premonición. Cuando Moishe murió, llevaba ya más de doce años viudo. Además, en los últimos meses de su vida, quizá más de un año, había dejado de tener contacto con su escandaloso hijo Bernardo (llamado afectuosamente "Berele", en *ídish*); con su hija Ester y su yerno Enrique hablaba solo de tanto en tanto. Sus encuentros con sus nietos no eran menos infrecuentes

Rosita apretó el botón del portero eléctrico. La hizo pasar Trinidad, la atractiva criada de Moishe, una muchacha de veinticinco años, que como siempre vestía su uniforme azul y blanco, con un delantal acolchado encima. Rosita subió en el ascensor hasta el último piso.

–Trini, chula, don Moishe ha muerto. Durante siete días decenas de personas vendrán a velarlo en este apartamento.

–¿Será con ataúd abierto?, preguntó Trini.

–Los judíos enterramos a nuestros muertos inmediatamente. Terminado el entierro, la familia pasa una semana entera junta.

–Muy bien, señora.

–Sabías que don Moishe había muerto, ¿verdad?, le preguntó Rosita.

–Sí. Don Bernardo me llamó. Es triste...

–¿A qué hora se había despertado el viernes?

–¿Don Moishe?

–Sí, respondió Rosita.

–No había dormido en el apartamento esa noche.

–¿No?

–No... Dormía a menudo en otra parte.

–¿Dónde?

–Nunca le pregunté.

–¿Con la señora Mabel?

–No lo sé.

Rosita estaba perpleja pero no quería parecer indiscreta. Ella y la criada pasaron la tarde moviendo muebles. Esther Burak, la hija de Moishe, una rolliza mujer de cuarenta y ocho años y modales amables, que caminaba como las palomas, llegó a las 4:3 P.M. Después de tomar té con galletas y lamentarse juntas con Rosita, cubrió los espejos con mantas, puso los almohadones del sofá en el suelo, y sacó taburetes y sillas plegables.

El domingo amaneció inusualmente húmedo. La gente comenzó a reunirse en el cementerio judío de Avenida Constituyentes, poco después de las 11: A.M. La solemnidad, por supuesto, era inevitable. La familia se reunió en la sala donde los miembros de la Chevrah Kadishah lavaban el cuerpo de Moishe.

–Parece más delgado que la última vez que lo vi, le dijo a su mujer Enrique, el yerno de Moishe, un respetado oftalmólogo de cincuenta años.

–¿Cuándo fue la última vez que lo vimos?, preguntó Ester.

–¿Hará unos tres meses?

En ese momento, Fischer estaba parado afuera. "*¡Ich bin doh!*", murmuró en *ídish*. Vestía un traje moderno y llevaba un *yarmulke* negro. Ari Burak, el hijo mayor de Ester, que era pediatra, lo oyó. Estaba hablando con Lorena, su mujer, de Luci, la hija de ambos, una beba de seis meses.

–De solo verlo me da náuseas –Ari le dijo a Fischer–. Me siento culpable porque debiera estar adentro.

–Me sorprende, viniendo de ti, Ari –respondió Fischer–. Eres médico, como tu padre. ¿Si eres incapaz de mirar a un muerto, qué pueden esperar tus pacientes?

Ari y Lorena se rieron.

–Es irónico, ¿verdad? –respondió él–. Cuando estoy en el quirófano, no tengo problemas. Dado que el paciente de quien me ocupo no está relacionado conmigo, hago mi trabajo sin sentir emociones. Solo me sucede con alguien a quien conozca. Cuando hace más de una década murió inesperadamente Marcos Reznik, mi querido compañero de colegio, por un aneurisma de aorta, yo ya tenía mi consulta privada. Lo visité muchas veces en el hospital. Pero cuando murió, no me podía concentrar más en lo que hacía. Durante días, me obsesionaba la imagen de Marcos aprisionado en el ataúd.

Fischer reaccionó.

–¿Aprisionado?

–Soñaba con los pulmones de Marcos. ¿Y si comenzaban a inflarse de nuevo?

–La muerte nos hace detenernos.

–Pero eso no va con el recuerdo de los que dejamos atrás. Es natural que nos neguemos a olvidar la imagen de alguien famoso por moverse sin cesar. ¿Acaso no recordamos el pasado en movimiento?

Ari esperaba la respuesta de Fischer, pero no la hubo.

–Te oí decir '¡*Ich bin doh*! –agregó–. ¿Qué significa eso?

–Una broma, nada más. Mi amistad con tu *Zeide* se remonta... ay, a nuestros años en la *Yiddishe Schule*. Estábamos en la misma clase. Al comenzar, los maestros tomaban la asistencia. Algunas veces yo me escapaba, y cuando el maestro leía la lista, Moishe imitaba mi voz y daba el presente por mí. Yo hacía lo mismo cuando él faltaba a clase. En la de español, decíamos 'Presente'; en la de hebreo, '*Anih poh*; y en las de *ídish*, '*Ich bin doh*'. Nunca nos descubrieron."

Faltaban pocos minutos para el mediodía y ya había centenares de personas en la *levaya*. Ese domingo, en la Avenida de la Reforma, estaba anunciada una manifestación política de protesta contra el candidato presidencial de PRI. Había sido planeada con días de anticipación. Pero a ninguno de los que participaban en el duelo por la muerte de Moishe pareció importarle.

–Me impresiona cuánta gente ha venido.

–¿Por qué?, preguntó Fischer.

–Nunca pensé que el *Zeide* conociera a tanta gente. Tenía la impresión de que era un solitario. Después de que la *Bobe* Hilda murió, me lo imaginaba encerrado en su apartamento."

–La piel de Moishe lo hacía parecer más joven de lo que era. Y era un amigo leal…

–Sabía que le gustaba viajar.

–En los últimos años viajó a Rusia, la India, China, Brasil…, comentó Fischer.

–¿Solo?

–En general.

–¿Cómo es viajar solo? ¿En qué se usa el tiempo?, preguntó Ari.

–Lo mismo que con otra gente.

Los asistentes estaban empezando a ponerse inquietos, cuando el rabino Sapotnik anunció que la *taharah*, la purificación del cuerpo que debe hacerse antes del entierro, no había sido completada aún. Faltaban todavía veinte minutos por lo menos, para que comenzara.

Ari respiró hondo y entró en la habitación donde los miembros de la *Chevrah Kadishah* preparaban el ritual. Cerca del cadáver habían colocado un cubo con agua y varias velas fúnebres. Oyó cómo alguien preguntaba a Berele, el hijo mayor de Moishe y heredero de su fábrica de artículos de cuero, donde estaba el *talit* de su padre.

–Lo siento, pero no sé si tenía uno.

–Todos los judíos varones debieran tenerlo.

–Moishe no era un hombre religioso.

–¿Y qué?

–Creía en la cultura, intervino Berele.

–La tradición establece que el cuerpo debe ser envuelto con el chal de oración.

–¿Y por qué no usan un sarape ranchero?

Se produjo un silencio. Berele comprendió que su comentario había sido sacrílego.

–¿Mi propio *talit* puede servir?

–Debes reservar el tuyo para tu propia partida. Habrá que usar uno viejo del cementerio.

Le cortaron las uñas a Moishe, y lo peinaron. Su cuerpo fue lavado y envuelto en un sudario azul y blanco, con sus flecos recortados para indicar que el muerto no tenía ninguna obligación religiosa pendiente. Un pequeño saco con tierra de Israel fue colocado en el basto ataúd sin pretensiones y el rabino Sapotnik leyó una plegaria: "*Hamakon Yenajen, Betoj Shaar Aele Tzion Virushalain.*"

El ataúd fue alzado por los miembros de la Chevrah Kadishah, mientras uno de ellos derramaba veinticuatro litros de agua del cubo sobre este. Luego, los congregantes recitaron tres veces "*Tahor hoo*".

Alguien agregó en *ídish*: "Hénos aquí, los últimos en ver a Moishe… Como Moishe Rabeynu, por quién lleva el nombre, por fin está en libertad en este Monte Sinaí, más allá de toda forma de caos humano, y así hasta la llegada del Mesías".

Ari había estudiado la expresión facial de Moishe. ¿Había sarcasmo en ella? Ester, su madre, estaba al lado.

– ¿El *Zaide* solía sonreír?

Antes que ella pudiera responder, dijo el rabino Sapotnik: "'*Nireh v'eyno ro'he*'. Los muertos tienen una envidiable propiedad: son vistos pero no ven."

Mientras el ataúd era sacado de la habitación, y cuando lo llevaban hacia la tumba, los asistentes al duelo podían oír a los manifestantes que en la calle gritaban consignas políticas: "¡Abajo el PRI. ¡Bienvenido el cambio!"

Ya cerca del sitio del descanso final, Berele se colocó junto a Ester.

–¿Crees que *La Goye* aparecerá?, preguntó.

–Llámala por su nombre, por favor. Es un ser humano,

como tú y como yo. No confío en ti, Berele, le respondió Ester. Fuiste tú quien comenzó todo. Después que murió madre, él siguió tu mismo camino...

–Hizo bien, dijo él. No hay muchas opciones, *hermana*. ¡Las judías mexicanas son un aburrimiento!

–¿Estás seguro, Berele, de que podrás soportar la muerte de Moishe?

–Estoy perfectamente bien, le respondió él, en un tono agresivo. Gracias por preguntar.¿Y tú?

A los cincuenta y un años, con su atlético físico viril y su cabello que retrocedía rápidamente, Berele era famoso por su conflictiva relación con Moishe. Nada de lo que Berele hiciera satisfacía jamás a su padre. A los ojos de Moishe, no era nunca suficientemente listo, firme, confiable, motivado. En realidad, Moishe sentía pena por su hijo. Su experiencia como inmigrante lo impulsaba a aprovechar todas las oportunidades que le aparecían. Berele, en cambio, era un vividor. Cuando se hizo cargo del negocio de su padre, desbarató el capital. Finalmente la fábrica ardió de arriba a abajo. Durante años circularon rumores de que había sido un incendio intencional, pero a pesar de todo, Berele cobró el dinero del seguro.

El rabino Sapotnik se acercó a él nuevamente.

–Te necesito, Bernardo. El alma de Moishe reclama tu atención. Los judíos somos dueños de una parte del Mundo que Vendrá, le dijo, como lo establece el Libro de Isaías, capítulo 6, versículo 21: "Y tu pueblo, todos ellos serán justos, para siempre heredarán la tierra".

–¿Nadie está eximido?, preguntó Berele.

–Solo quienes niegan la resurrección de los muertos.

–Yo no quiero que Moishe resucite, protestó. Ya ha hecho suficiente daño.

Ester lo oyó.

–Berele, ¡pórtate bien!

Berele continuó.

–Una vez sobre la Tierra es más que suficiente.

A pocos kilómetros de allí, el Volkswagen ya iba camino del funeral. El chofer de Enrique había recogido a Nicolás y a Galia en el aeropuerto. Él era un judío ortodoxo de Jerusalén; tenía 28 años, alto y de aspecto nervioso, con orejas grandes como las de Dumbo. Ella tenía 26, delgada, ni alta ni baja, estudiaba cine en Nueva York. No se habían vuelto a ver desde que Nicolás se fuera repentinamente de México en 1989. Sobra decir que a Galia la sorprendió su aspecto: lo recordaba como un *paisano* normal, típicamente vestido de jeans, zapatillas y camiseta; un fan de la música que coleccionaba LPs de Styx y Earth, Wind and Fire. "¿Qué bicho extraño le ha picado a mi primo?, se preguntó. En el Upper-Manhattan, donde ella vivía, un apartamento de un solo dormitorio a pocas cuadras de la Universidad de Columbia, se cruzaba en su camino con cantidades de judíos ortodoxos, aunque probablemente no tantos como los que pululaban alrededor de la Calle 47. A menudo hablaba con uno de ellos, un proselitista del *Mitzvah-Mobile* que estacionaba en la esquina de Bropadway con la Calle 116. Él pretendía que ella fuera a la sinagoga para el Sabbath. ¿Había algún judío ortodoxo, en México, en la década de 1980, en la subdivisión de La Herradura, cuando ella estaba creciendo? No recordaba a ninguno. En cualquier caso nunca se hubiera imaginado que su distante primo pudiera convertirse en un fanático de la religión, vestido de negro, con *peyes* y una larga barba. Durante unos minutos un semáforo de la Avenida Reforma obligó al Volkswagen a detenerse. Un vendedor que ofrecía crucifijos se acercó al chofer. Nicolás miró en otra dirección para evitar la imagen.

–No podía saber que eras judío. ¿Verdad?

–Bienvenido de vuelta a México, primo, dijo Galia. Hay más seguridad que la última vez que estuviste por aquí, hace diez años.

Nicolás la miró con desagrado.

Al darse cuenta de que sus clientes no estaban interesados en su mercancía, el vendedor sacó un collar con una estrella de David. Nicolás la miró cuidadosamente y luego la rechazó. Galia se rió fuerte.

–Pensar que hay unos treinta y cinco mil judíos como tú y yo en todo el país. Un número minúsculo. No alcanza ni al uno por ciento de la población total.

–No son los números lo que cuenta, le respondió Nicolás. Ante los ojos del Todopoderoso importa la fe, aunque haya un solo creyente vivo en la Tierra.

–Seguramente tendrás razón, respondió ella. El vendedor ese es suficientemente astuto como para encontrar a su clientela.

A continuación, Galia compró la estrella de David.

–Un recuerdo para ti, Nicolasito: en el México de hoy también la religión está en venta.

El chofer tomó rápidamente por calles laterales y el Volkswagen tropezada con miles de manifestantes que ahora no solo denunciaban al PRI sino también al imperialismo norteamericano. "¡Viva la soberanía nacional!" Por fin estacionaron fuera del cementerio. Nicolás y Galia entraron de prisa.

Ocupado en una conversación por el móvil, Berele le hizo una seña a Enrique, que reconoció a los primos y se lo comunicó al rabino Sapotnik.

–Está todo bien, le dijo.

–Okay, ahora hay que celebrar la *k'riah* y orar.

El rabino pidió al clan Tartakovsky que desgarrara la tela de su ropa mientras entonaba el *Dayan ha-Emet*. A continuación dio unos pasos hasta donde estaba Berele, apoyado contra una tumba grande e informe. El rabino le pidió que apagara el móvil y se acercara a ellos, le gustara o no, porque era el responsable de leer el *Kadish*.

–Entiendo que tu padre murió sin una *Vidduy*, una confesión última. Como tal vez sepas, para un judío no existe la obligación de celebrar el rito final. Si la persona que está muriendo no puede recitarlo, no hay transgresión. Sin embargo, durante su viaje el alma de Moishe puede querer comunicar sus últimos deseos antes de partir definitivamente de este mundo. Es imprescindible que todos presten atención por si se produce algún indicio sobrenatural. Moishe podría sentir ansia de hablarnos. Durante la *levaya* y la *shivah* su alma progresará en su ascenso al Cielo.

–¡Vamos, rabbi!, dijo Berele. Estamos en el siglo XXI.

El rabino Sapotnik estaba disgustado por la conducta de Berele en general.

–¿Recitarás al menos el *Kadish*? El *Shulhan Aruch* recomienda que se recite cuando la muerte es inminente. "Dios de mis Padres y Madres, que mi plegaria llegue a Ti. No ignores mi ruego. Por favor, perdóname por todo lo que pequé delante de Ti en toda mi vida." Si tu padre, *alav hashalom*, no pudo decir la *Vidduy*, el Todopoderoso igual lo acogerá. Pero es tu deber rezar por su alma.

–Lo hará mi hijo Nicolás, anunció él.

En ese preciso momento, un violinista salió del grupo y se aproximó al lugar donde estaba el rabino Sapotnik. Colocó el extremo redondeado del instrumento bajo su mentón, ubicó con sus dedos las notas apropiadas, y comenzó a tocar. Era un fragmento del *Concierto para Violín en La menor* de

Ernest Bloch. El sonido del violín era irresistible y las personas que unos minutos antes intercambiaban sus estados de ánimo, callaron.

Cuando la música acabó, habló el rabino Sapotnik. Explicó cuál era el propósito del funeral judío: lograr la paz y la unidad entre este mundo y el próximo. Luego recitó varias plegarias. Nicolás se había adelantado, dejando a Galia detrás, y había dado un beso tibio a su padre. Ella, mientras tanto, se había acercado a sus propios padres, Ester y Enrique, y los había besado con cariño. Se sentía feliz de verlos, aún en esas circunstancias.

Unos minutos después, Nicolás susurró algo al oído del rabino Sapotnik. Un segundo más tarde, el rabino hizo un gesto de consentimiento.

–Deseo leer un poema en hebreo, de Samuel ha-Naguid, que fue visir de Granada y murió en el año 1056 –dijo Nicolás–. Se titula "*Breve plegaria en la hora de la batalla*."

Lo leyó en hebreo y luego tradujo el último verso: "Si ante tus ojos no lo merezco, hazlo por mi hijo y por mi saber sagrado."

El rabino Sapotnik retomó el poema mientras miraba a Berele a los ojos: "Hazlo por mi hijo y por mi saber sagrado", dijo. Y comenzó su sermón. Con palabras afectuosas pero prudentes, retrató a Moishe como judío querido y responsable, y mexicano agradecido; heroico constructor de la comunidad, sin cuya obra la actual generación de judíos asquenazíes no viviría tan confortablemente. "Tal vez, demasiado confortablemente." Y agregó: "Moishe Tartarovsky no era un judío devoto, pero sí un judío moral. Era también un patriarca..."

De pie junto a su madre, Galia murmuró:

–¿Un patriarca? Yo creía que el *Zaide* a los judíos no les importaba para nada...

–¡Shhh!, ordenó Ester a su hija.

El rabino Sapotnik continuó: "...un patriarca que comprendía que la cultura es el conducto por el cual nos perpetuamos en el mundo. La cultura y la tradición... Las exigencias de la vida apenas nos permiten apreciar nuestros propios talentos, pero él lo hizo bien. Era un inmigrante lituano que, en 1937, con siete años, llegó en un vapor al puerto de Veracruz, en el Golfo de México. Durante toda su vida, Moishe Tartarovsky demostró inspiración e inteligencia. A menudo me preguntan: Rabino Sapotnik, ¿vivimos en una era de milagros? Pues permítame que les cuente un milagro extraordinario. Moishe era un vendedor ambulante de cordones para zapatos. Con la pequeña suma de dinero que fue ahorrando de cada paquete, se lanzó a correr el mayor de los riesgos: jugó a la lotería... ¡y ganó! Recibió un premio de 2 pesos, una suma modesta, pero un premio al fin y al cabo. Y le alcanzó como para alquilar un local para poner una zapatería, que con el tiempo se transformó en dos, en tres, y en una fábrica de productos de cuero, y finalmente en una importante sociedad. Comenzó hacia fines del gobierno de Plutarco Elías Calles. Nos deja cuando México está en medio de una transformación política".

Respiró hondo, y continuó. "Moishe se casó con Hilda Spigelman en 1951, cuando no se habían cumplido tres años de la fundación del Estado de Israel. Hilda dio a luz a dos hijos y murió en 1988 tras una larga batalla contra el cáncer. El Todopoderoso quiere ahora que él sea sepultado junto a ella. A lo largo de su viaje por la Tierra no solo nutrieron a una familia feliz, sino que también pudieron tener presente el sufrimiento de otros. Gracias a las generosas donaciones de Moishe fue posible levantar un magnánimo edificio en el Eishel, el Hogar Judío para Mayores, de Cuernavaca, en Morelos, y con su apoyo fue posible crear una gran forestación en los límites del desierto del Negev, en Israel, dedicado a la memoria de Hilda. Además de esto, Moishe donó sumas importantes de dinero a su antigua escuela, la *Yiddishe Schule*, como también a la *yeshiva* de Nicolás, en Jerusalén."

Una vez más, Galia se mostró inquieta.

–A mí no me mandó nunca nada..., susurró al oído de Ester.

–Nadie vive siempre en un estado de éxtasis. Como todos y cada uno de nosotros, Moishe sufrió periodos de malestar y abandono. La muerte de su esposa lo dejó desorientado, desconectado, aturdido. Hacía preguntas difíciles, tal vez en ningún lugar mejor expresadas que en una cita del *Talmud* por el sabio Hillel, del siglo I antes de nuestra era: "¿Si yo no lo hago para mí, quién lo hará? Pero sí solo lo hago para mí, entonces para quién soy?" Como la mayoría de los judíos de México, solo acudía al templo para las grandes celebraciones, pero en los últimos meses había comenzado a hacerlo más a menudo, casi todos los sábados. Incluso hizo la *mitzvah* de besar la *Torah* en un par de ocasiones, y pasearlo por el templo para que toda la congregación pudiera hacer otro tanto. Al final del servicio, Moishe habló con otros acerca de la emblemática cita de Hillel. Pero entonces, *Reeboynu shel-Oylom*, Tú lo llevaste lejos de nosotros. Debió haber una razón, por supuesto, porque Tus actos no son nunca arbitrarios, aunque para algunos lo parezcan. Tú diste a Moishe el tiempo y el coraje para actuar, y por eso Te estamos agradecidos. Que él se sentía insatisfecho consigo mismo y con el mundo es una señal de la miríada de posibilidades que Tú ofreces a Tus criaturas. Exaltemos a Moishe Tartakovsky como un judío compasivo, nunca satisfecho con sus logros."

El rabino Sapotnik concluyó su sermón con el *El Male Rachamin*. Berele tomó una pala y arrojó tierra sobre el ataúd. Mientras pasaba la pala a los demás, Nicolás recitó la primera estrofa del *Kaddish*, en nombre de su padre.

El ánimo era sombrío. Los que participaban en la ceremonia respondían al *Kaddish* con voces taciturnas. Galia dejó vagar su mirada por las tumbas vecinas. Varias estaban salpicadas de pedregullo. Una contenía una foto amarillenta en un marco de metal, que representaba a una familia de cuatro miembros: una madre y tres muchachos. Junto al marco había un ramillete de flores donde revoloteaba una abeja. La abeja proyectaba su sombra inquieta sobre la superficie del mármol. Galia intentó seguir el curso de la sombra, pero se movía con demasiada rapidez. Su mente se sumió de súbito en un estado de desconexión entregada a considerar la existencia de la Otra Vida. ¿Vamos a alguna parte después que morimos? Lo dudaba. Para ella la muerte era un final, no un comienzo. ¿Podría estar equivocada? Últimamente había estado leyendo libros sobre hinduismo. Según el *Bhagavad Gita*, el alma humana reencarna una y otra vez. Puede adquirir varias formas antes de alcanzar la perfección. Esa búsqueda le hace mutar hasta que por fin llega a alcanzar al Todopoderoso. Una amiga que conoció en Queens le dio una cita, cuya fuente Galia no recordaba con exactitud: "Así como un hombre descarta las ropas gastadas por el uso y viste otras nuevas, el alma descarta cuerpos gastados y viste otros nuevos". ¿Creía el judaísmo también en la reencarnación? Ella lo dudaba, aunque la misma amiga le había insinuado que los místicos judíos estarían más próximos al hinduismo en sus creencias que muchos de sus propios correligionarios. Tal vez sería ingenuo creer en la reencarnación, pero por lo menos alivia el dolor de quien vive el duelo por un ser querido. ¿Si el alma de Moishe regresara alguna vez a esta Tierra, podría Galia reconocerlo?

De pronto se dio cuenta de que la abeja se había detenido. Sorbía el polen del estambre de una flor. Pensar que la abeja y su sombra se habían hecho una la hizo feliz. Escuchó la última estrofa del *Kaddish*.

El ataúd fue depositado en el fondo de la tumba. Una fila interminable de conocidos se aproximó allí y arrojó tierra con la pala. Berele y Nicolás se unieron a la procesión, seguidos por Elías Fisher, Ester y Enrique, Rosita Stein, Ari y Lorena, y Galia. Detrás de ella apareció Beto Brenner, el dueño de la Joyería La Estrella, un negocio famoso del centro, en la calle Tacuba, que ofrecía diamantes y rubíes baratos, y servía a una clientela de clase media baja mestiza. Cuando Galia regresaba a su sitio, observó que sobre el muro del cementerio, en el extremo izquierdo, asomaba parte de un cartel de Coca-Cola. La yuxtaposición de lo sagrado y lo profano la intrigó.

El rabino Sapotnik retomó la palabra.

–El Ba'al Shem Tov ha dicho que todo judío, desde el abismo de penumbra que es la vida antes del nacimiento hasta el abismo de penumbra que es la vida después de la muerte, va acompañado por dos tipos de ángeles: los ángeles de la luz y los ángeles de la sombra. La batalla entre ambos es ininterrumpida. Un pecado simboliza un tanto para los ángeles de la sombra; un *mitzvah* es uno para los ángeles de la luz. Cuando muere una persona, el bando que más tantos ha marcado acompaña al alma a su juicio final ante el Todopoderoso.

A continuación anunció que de acuerdo con los planes la *shivah* comenzaba esa misma tarde, en el apartamento de Moishe, en el número 53 de la Avenida Horacio. Las visitas podrían acudir hasta el viernes, exactamente una semana después de la muerte de Moiseh, para rezar el *Shacharit* a primera hora de la mañana, la *Mincha* por la tarde y, justo antes de la puesta del sol, el *Ma'ariv.* El rabino recordó a todos que debían abstenerse de llamar por teléfono a la familia en las horas durante las cuales la familia rezaría, especialmente entre las 8:45 y las 9:30 A.M. y las 6:45 y las 7:30 P.M. Para que la familia Tartakovsky pudiera concentrarse en su dolorosa pérdida, el rabino exhortó a los visitantes a traer comida *kosher*: "Es nuestro deber hacer más fácil el éxodo del alma de Moishe".

Ari Burak y su esposa Lorena se dirigieron hacia la salida, seguidos por otros. La *levaya* concluyó hacia la 1:5 P.M.

Galia se acercó a sus padres. Su madre apuntó repentinamente hacia una mujer de luto que estaba de pie casi en la salida.

–*La Goye*... –dijo Ester–. También vino.

–¡Y por qué no?

–¿En un cementerio judío?

–¡Ay, Mamá... Todavía vives en un *shtetl.*

Cuando estaba a punto de salir del cementerio, Galia echó otra mirada al sitio donde ahora descansaba Moishe. Por un instante le pareció ver –mágicamente– un halo que emergía desde abajo. El halo hizo una pirueta. Cuando se dio vuelta para señalárselo a Ester, se dio cuenta de que ya todos se habían ido.

De pronto oyó la voz de Nicolás que la llamaba desde lejos:

–¡Orale, el chofer no puede esperar horas!

El Volkswagen estaba a unos metros de ella, con su puerta trasera abierta.

Primer día

Nicolás sacó de su maleta un juego de velas funerarias. Luego fue a la cocina, donde encontró una botella de vino vacía. La lavó en la pileta, la secó y regresó con ella a su habitación. Galia lo observaba mientras él depositaba todo sobre una mesa junto a la pared, en el comedor, donde estaría a la vista pero los visitantes no se lo llevarían por delante.

–¿Para qué son?, preguntó Galia.

–Como hizo la Chevrah Kadishah en el cementerio, hay que encender estas velas con una botella de agua al lado.

Galia estaba perpleja:

–No entiendo.

–El alma vive de luz y agua. Para el viernes no quedará nada...

–Entiendo el hecho de que la cera acabará consumiéndose. Pero, ¿y el agua?

–Moishe la beberá –respondió Nicolás. Cogió un vaso y lo llenó con agua del lavabo del baño. Galia lo siguió divertida–. Su espíritu necesitará reponerse para el viaje.

–Morirse está en hebreo, respondió ella.

Quería calcar la conocida frase del castellano, "estar en chino": es decir, incomprensible como en la escritura ideográfica del idioma mandarín. Si una tarea como por ejemplo armar un rompecabezas resulta imposible, cualquiera puede decir que "el rompecabezas está en chino". Para Galia, así también, hebreo y chino le resultaban sinónimos: extraños, distantes, enigmáticos.

El departamento era un vasto último piso en la concurrida esquina de la Avenida Horacio con la calle Hegel. Su estética estaba firmemente anclada en la moda de la década de 1970, aunque Moishe lo ocupó recién en 1989, unos pocos meses después de la muerte de Hilda. Para llegar allí era necesario subir por una escalera que se arrollaba alrededor del foso del ascensor, una caja metálica estrecha, anticuada, con apenas lugar para tres personas.

–¿No es una ironía que Moishe, una patriarca judío mexicano, viviera en la esquina de unas calles con el nombre de un poeta latino y un filósofo alemán?–se preguntó Galia en voz alta–. No extraña que llevara una vida tan secular.

La puerta del ascensor se abrió y apareció Ester. Hacía meses que no visitaba el apartamento. Estudió el lugar cuidadosamente. Le pareció extraño.

Pasó a la cocina.

–Hola, Trini, dijo.

–Buenas tardes, señora Ester, respondió la criada.

–Don Moishe nos dejó tan de repente.

–Sí.

Galia entró. Le preguntó a su madre qué hacía Moishe para estar tan ocupado.

–No lo sé –respondió Ester. Pensó durante un momento–. Atletismo por la mañana, administrar las cuentas bancarias a mediodía, pasar el rato en el CDI por la tarde.

–¿Todos los días?

–Querida, ¿a los setenta se puede pedir algo mejor?

–Mamá, no quiero ofender, pero ¿no te parece que tendrías que saber qué hacía tu padre con su tiempo?

–Para nada. ¿Sabes tú cómo empleo yo mi tiempo? Yo diría que no es asunto tuyo.

–Trini le ha dicho a Rosita Shein que Moishe casi nunca dormía en el apartamento. ¿Es verdad, Trini?

–Sí, señora Galia.

–¿Dónde dormía?

–No lo sé. Volvía a casa por la mañana temprano.

–¿A qué hora?

–A las tres y media. Cuatro, respondió Trini.

–Con razón todo huele a encierro, agregó Galia.

–Tal vez iría a la casa de *La Goye*. Estoy seguro de que vivía con ella. Moishe mismo empleaba el ídish para referirse a ella.

–Para ti el mundo se divide en dos: los judíos y todos los demás. Lo siento, Trini, pero mi madre está un poco ida.

Trini estaba perpleja.

–¿Se refiere a la señora Mabel?, preguntó.

–Sí, respondió Ester.

–Hace meses que no se veían.

Hubo un silencio.

–Mi padre se las arreglaba para hacernos creer que era feliz, afirmó Ester.

–Aunque no lo era, agregó Galia.

Nicolás entró en la cocina para pedirle que lo ayudara a separar una sección *kosher* en el refrigerador. Iba a comprar comida y quería guardarla en un lugar limpio. Trini abrió el refrigerador y cambió cosas de lugar. Nicolás le agradeció y dijo que regresaría rápido. Pasó entonces al salón, colocó una pila de *yarmulkes* sobre una mesa donde todos pudieran verlos y cogió el ascensor para ir a la calle.

Galia lo siguió. Cuando llegaron a la Avenida Horacio, le habló.

–No hace falta que trabajes tanto, primo. La casa está *treif* para siempre...

–Sin embargo, se la pude purificar. Voy a colocar un libro de condolencias en un lugar visible, cerca de la puerta de entrada del apartamento. Para estar seguro de que la gente pueda escribir sus comentarios ahí.

–¿Por qué la gente se sienta en el suelo durante la *shivah*?, preguntó Galia.

–La muerte nos hace humildes –respondió Nicolás–. No discrimina entre reyes y pobres. Además, mientras el alma de Moishe se prepara para partir, las nuestras se vuelven más pesadas.

–¿Realmente te crees toda esa mierda?

–El alma de Moishe puede quedar atrapada en el reflejo de los espejos –predicó Nicolás–. El espíritu del difunto ronda la Tierra varios días antes de llegar al "otro lado". Merece nuestra humildad. Los varones de la familia no pueden afeitarse.

Galia se rió.

–¿Necesitará también comida el espíritu, *primo*? –se preguntó–. Me han dicho que antes del mediodía llegará al apartamento un sabroso plato de *pescado a la veracruzana*. Se me hace agua la boca...

Nicolás no le prestaba atención. Galia se rió otra vez.

–¿Qué te hizo volverte tan ortodoxo? ¡Y pensar que cuando eras adolescente, tú y tus compinches tomaron parte en el asalto de un banco, a lo *Bonny and Clyde*! ¡Ay, qué vergüenza! Dime, primo, ¿no te da vergüenza no haber pasado una temporada en la cárcel?

Nicolás parecía molesto. No había volado desde el Aeropuerto Ben Gurión para responder a preguntas impertinentes. Y tampoco quería meterse en peleas. La agresividad era algo del pasado. Consideraba una suerte haber descubierto al Todopoderoso.

Entraron en un local de comida para llevar. Nicolás buscó entre las ensaladas, el pan y las sodas. Leyó los ingredientes con atención. Luego de pagar, los primos regresaron al apartamento, donde encontraron decenas de visitantes. La mayoría estaba reunida en el salón. Galia se sentó sobre un almohadón vacío, cerca del sofá. Fijó su mirada en la ventana. Afuera estaba nublado.

–Ay, la ciudad está siempre gris. Primavera, verano, otoño, invierno... No importa la estación, parece depresiva.

No muy lejos, a su derecha, Elías Fischer reaccionó ante esa afirmación.

–Es como la percibes.

Comenzaron a conversar. Fischer estaba interesado en la política. Antes de venir a la *shivah*, había mirado las noticias en la televisión.

–Vicente Fox es el favorito de las encuestas, dijo.

Galia le preguntó sobre los planes de Fox para el futuro.

–No está claro –respondió Fischer–. Pero a la gente no parece importarle. El pueblo está preparado para el cambio.

–¿Es bueno el cambio?, preguntó Galia.

–Es lo único de que podemos estar seguros, respondió Fischer.

Después de poner los alimentos *kosher* en el refrigerador, Nicolás se unió a ellos.

–¿Has visto qué gris está el cielo, primo?, pregunto Galia.

–Al Todopoderoso le gusta el gris –dijo Nicolás–. En realidad, le gustan todos los colores. O más bien, no le interesan los colores sino el contenido.

–¿El contenido?

–El Todopoderoso se interesa por los detalles.

–¿Estás seguro? –preguntó ella–. ¿Y crees que le gustan los mexicanos?

–Ama a todas las criaturas.

–¡Ay, Nicolás: Hablas como un evangelista!

La puerta del ascensor se abrió de nuevo. De pronto, el apartamento se llenó a pleno. El teléfono, a su vez, comenzó a sonar. Parientes de todo el planeta –de Miami, Detroit, Omaha, Amherst, Chicago, y también de Buenos Aires, París, Johanesburgo y Tel Aviv– llamaban para dar sus condolencias.

Saturada por la multitud, Galia acabó en la segunda planta. El decorado le pareció atroz. Estaba lleno de *souvenirs* de viajes a Israel (*menorahs*, frascos con arena del desierto del Sinaí, un cartel del Mar de Galilea, y más), junto con amarillentos libros de bolsillo (entre ellos, *Future Shock*, de Albin Toffler; *The Good Earth*, de Pearl S. Buck; *Cosmos*, de Carl Sagan; un par de novelas de Danielle Steele traducidas al castellano; *Los versos del Capitán*, de Pablo Neruda; *A Wedding in Brownsville and Other Stories*, de Isaac Bashevis Singer; o *The One Handed Pianist*, de Ilan Stavans) y una acumulación inmensa de fotos de familia: Moishe en el Partenón: Moishe en Yad Vashem; Moishe en la Torre Eiffel; Moishe y Nicolás junto al Muro de los Lamentos; Moishe y Berele a la entrada de la fábrica de artículos de cuero en la calle Bolívar, del centro de la Ciudad de México; Leibele y Bashe Tartakovsky, los padres de Moishe, en Lituania; Moishe visitando un cementerio judío en Belarus…

–Puro *kitsch*, pensó Galia.

En una de las paredes se encontró con una foto de Hilda en la fiesta de graduación de la escuela secundaria de Nicolás. En la foto, él tenía un aspecto notablemente diferente: ni barba, ni *peyes*, ni traje negro. En cambio, llevaba el uniforme del equipo de fútbol de Las Chivas, con las patillas largas y un peinado a lo John Lennon en sus días de gloria.

Galia buscó más fotos de Hilda pero no había ninguna. "Los *souvenirs* de una persona son un ejercicio de autocensura", concluyó.

Volvió a descender la escalera. La gente comía y bebía. Vio a Fischer hablar con un hombre mayor. Cuando se acercó a ellos se lo presentó: Zuri Balkoff, el abogado de Moishe. Antes de que pudieran decir otra palabra, el rabino Sapotnik convocó a los varones para hacer un *minyan* y distribuyó libros de oración y *yarmulkes*. La *Amida*, parte de la ceremonia del *Ma'ariv*, estaba por comenzar.

Un grupo numeroso se reunió y pasó al comedor. El rabino comenzó a cantar en hebreo. De súbito sonó el teléfono y Ester lo cogió. Era Berele. Le avisaba que no podría ir en todo el día. Mañana estaría en el apartamento temprano por la mañana. "¡Debieras avergonzarte! No se permite el descanso durante la *shivah*. La gente se pregunta cómo no estás aquí para velar a tu padre."

Veinte minutos más tarde, Berele volvió a llamar, ahora desde su Mercedes Benz. Atendió Enrique. Berele preguntó por Nicolás.

–Está orando. La parte del *Alienu* no tardará mucho...

–Mira por la ventana –continuó Berele–. ¿Los ves?

–¿Qué?

–¡Vamos, mira afuera!

Enrique se acercó a la ventana.

–¿Ves el Chevrolet azul?, preguntó Berele en el teléfono.

A través de la amplia ventana, Enrique identificó el auto al que se refería su cuñado. Estaba estacionado en la calle Hegel.

–Si, lo veo.

Se acercó a la escalera. No quería molestar a nadie con su conversación.

–Me parece que conviene que Nicolás no ande muy cerca de la policía.

–¡Idiota! Esos no son policías. ¿Qué tiene que ver la policía? Los obituarios de Moishe se publicarán en la edición del lunes de los diarios, en el *Excélsior* y *El Universal*. ¿Conoces a los Feinsod, de Guadalajara? ¿A Marcel Feinsod?, preguntó Berele.

–Se casó con Gitele Bronstein.

–Su suegro, que vive en Monterrey, es un millonario. Se hizo rico con el cemento. De todos modos, Marcel fue secuestrado hace seis semanas y la familia nunca avisó a la policía. Hubiera sido peor. En cambio contrataron a un agente israelí que inmigró a México en 1995 y ha montado una empresa para asesorar a las familias de víctimas de secuestros a manejar la situación. A Marcel Feinsod lo tuvieron catorce días en un ataúd, con los ojos vendados y las manos atadas. Para mantenerlo aislado, le colocaron audífonos en los oídos. El único sonido que percibía durante todo ese tiempo era un ruido fuerte como de alguien partiendo castañas. Solo lo dejaban dar una vuelta una vez por día, cuando le traían de comer. Pusieron un cubo pequeño a su lado por si necesitaba orinar. Lo dejaban ir al servicio, pero dos veces se hizo encima. Por algún motivo le permitieron conservar su anillo de bodas. Para contar los días, o lo que él creía que eran los días, se cambiaba el anillo de una mano a la otra. Después de su liberación no toleraba la luz del día. Todavía tiene miedo de salir a la calle. Nadie de la familia Fainsod quiere hablar de rescate, pero creo que pagaron tres millones de dólares. ¿Sabes cuánto es eso en pesos?

–¡Berele, no seas ridículo! ¿Vivo en el planeta Marte, yo?

–Casi treinta millones de pesos... ¡Podrías comprarte un condominio en Miami con ese dinero!

–¿Y?

–A Marcel Feinsod finalmente lo devolvieron a su casa. Estaba sano y salvo, dijo Berele.

–Seguro que tenía guardaespaldas.

–Tienes razón, Enrique, aunque es probable que sus guarda-espaldas también estuvieran envueltos en el secuestro.

–¡Viva México!

–¿Qué otra posibilidad nos queda? –preguntó Berele–. ¿Andar sin guardaespaldas?

–No te preocupes. Ha pasado mucho tiempo desde aquel asalto. Si a Nicolás no lo detuvieron en la Aduana…

–Enrique, estaba cien por ciento seguro de que no lo pararían en el aeropuerto –continuó Berele–. El sistema legal mexicano está podrido. No vigila sus propios fallos. Pero la extradición sigue pendiente… Nicolás no debió venir de Israel.

–Fue decisión suya. Después del asalto al banco, salió corriendo de México. Moishe hizo los arreglos, no tú. En verdad, tú te portaste como un cobarde. Estoy seguro de que Nicolás quería estar junto a su abuelo para agradecerle.

–¿Acaso habría podido impedirlo? Mi hijo decide por su cuenta, respondió Berele.

–Sí. Afortunadamente, dijo Enrique.

–Ni bien Nicolás me confirmó desde Israel que vendría, contraté a esos del Chevrolet. Lo último que quiero es que alguno de nosotros sea víctima de un secuestro. Por otro lado, su situación no debe ser un peligro para los demás. ¿No estás de acuerdo? Los judíos somos siempre un blanco fácil.

–Estás paranoide, Berele.

–Solo soy precavido. Por favor, no se lo comentes a nadie.

–Okay.

–No es paranoia, Enrique. Si la policía quiere arrestar a Nicolás, los del Chevrolet tienen instrucciones de ayudar.

–¿Cómo?

–Bueno, yo podría fingir que lo estoy secuestrando.

–¿Qué?

–Bromas, *cuñado*.

Enrique hacía fuerzas por reír, cuando aparecieron Ester y Galia. Ester le hizo una señal para que terminara rápido la conversación.

–El drama de mi cuñado es para una *telenovela*. No para una *shivah*.

–¿Y qué diferencia hay?, preguntó Galia.

Segundo día

El lunes por la mañana, el apartamento estaba otra vez atestado de gente. Ari y Enrique, su padre, estaban sentados en el estudio. Ambos habían dejado sus respectivas consultas médicas. Galia estaba con ellos.

–En mi opinión, tu *Zeide* era un egoísta hijo de mala madre –anunció Enrique, cuya sombra de barba ya era visible–. Perdonen mi lenguaje y que su memoria descanse en paz. Mi propia madre, Elsa Burak, que cumple ochenta y tres años el mes que viene, y ojalá viva hasta los ciento veinte, ahora vive en la Eishel. Hilda y Moishe Tartarovsky jamás en la vida le gustaron. Nunca fueron amables con ella. Ni Hilda, cuando se casó con Moishe, ni Moishe cuando enviudó. Recuerdo que se mencionaba a menudo la palabra "tolerancia". ¿Qué hacer con la familia? Tolerarla. En el sermón que dijo el rabino Sapotnik en la *levaya*, tu *Zeide* fue presentado como un santo. Eso se debe a que la muerte nos limpia de la fealdad con que nosotros mismos nos cubrimos.

–No estoy seguro... –intervino Ari–. Mientras estaba haciendo mi residencia en Saint Louis, Missouri, Moishe me mandaba un paquete todos los meses: comida, libros, fotos y un bonito cheque. Llegaba los miércoles por correo certificado.

–¡Hombre!

–Estoy seguro de que te lo conté, Papá, continuó Ari.

–No lo dudo. Solo que no lo recordaba. Ni tampoco creo

que tu madre lo recuerde. En todo caso, el comportamiento de tu tío Bernardo durante la *levaya* es imperdonable. Aunque también, predecible...

Mientras Enrique hablaba, Elías Fischer, Rosita Shein y Zuri Balkoff entraron en la habitación. Los Burbak cambiaron inmediatamente de tono y pasaron a hablar de otros temas.

Para improvisar otro enfoque del asunto, Galia preguntó:

–¿Cuándo vio por última vez a Moishe, *señor* Fischer?

–Era conmigo con quien estaba haciendo trote en la pista del CDI, por supuesto. Nunca me olvidaré de su imagen inmóvil. Pero pasamos juntos su último día. Es un privilegio que me concedió el Todopoderoso, aunque, recordándolo, encuentro extraño, hasta incomprensible, que alguien obtenga un privilegio así. Parece como si Moishe se hubiera concedido una larga despedida, antes de partir. Nos encontramos el jueves, hace un par de semanas, en su lugar favorito, el Café La Blanca, no lejos de la fábrica de cueros, para tomarnos un suculento desayuno. Comió huevos rancheros, pan dulce y café con leche; yo pedí chilaquiles y chocolate caliente. Estaba locuaz como siempre, aunque con un ánimo débil. Me dijo que no tenía ningún compromiso. Me invitó a dar un paseo con él. Quería volver a visitar los lugares de su infancia. Me llevó a la Alameda Central y me mostró el banco donde besó a Hilda por primera vez. "Me le declaré aquí mismo", me dijo. "Nos besamos por primera vez y después compartimos algodón de caramelo." Había cerca un vendedor de helados. Moishe se compró un vaso de helado de limón. Se lo devoró. Tenía un apetito insaciable, ese día.

–¿Moishe era diabético?, preguntó Galia.

–¿Diabetes? No tenía, respondió Fischer.

–De tanto en tanto padecía irregularidades intestinales

–aportó Rosita–. Una vez lo acompañé al médico y le hicieron unas pruebas y le indicaron unas medicinas. Eso fue hace varios años.

–¿Y algún problema del corazón? –preguntó Galia–. ¿Es verdad que una vez, en Houston, hace unos meses, Moishe tuvo que ingresar en un hospital por dolores en el pecho?

Rosita hizo una mueca.

–Nunca oí nada de eso. ¿Acaso no nadaba casi todos los días en la piscina del CDI?

–¿Qué estaba haciendo en Houston?, preguntó Enrique.

Ari le respondió:

–Me lo contó la última vez que lo vi, cuando el nacimiento de Lucy. Me dijo que había ido de visita a Michigan. La noche antes, en el hotel, había sentido molestias. Sentía un dolor justo en el medio del pecho. Me lo señaló con un gesto. Me dijo que sentía como si alguien se lo estuviera apretando con un dedo. Pero no le dio importancia. Cuando se despertó a la mañana siguiente, tenía la misma sensación, pero también sentía un eco del dolor alrededor de los hombros. Pero de nuevo no le hizo caso. En el vuelo a Houston, unas horas más tarde, no podía respirar. Pero no estaba seguro de que fuera algo real y no algo psicológico. Ni bien aterrizó fue a ver a un cardiólogo mexicano judío amigo mío.

–¿Cómo lo encontró?, preguntó, curioso, Balkoff.

Ari respondió:

–Moishe me hizo una llamada a pagar.

–Moishe jamás hacía llamadas a pagar, lo corrigió Rosita.

–Tal vez tengas razón –le respondió Ari. Pensó por un momento–. En todo caso, le dije que fuera a ver a Josef Varon. Él y yo hicimos la residencia juntos en Saint Louis.

–¿Y entonces?, preguntó Enrique.

–Cuando llegamos, el doctor Varon lo estaba esperando

y de inmediato le controló a Moishe todos los síntomas. Los primeros resultados no fueron concluyentes, de modo que fue necesario hacer más pruebas. Esa noche *Zeide* la pasó en el hospital. Le hicieron un electrocardiograma, y por la tarde, un *test* de esfuerzo. Le dijeron que estaba físicamente bien. A las siete de la tarde le dieron el alta.

–¿Realmente? –Rosita estaba intrigada–. A una persona conocida mía también tuvieron que hacerle unos *tests* del corazón en Houston. Por un día de hospital tuvo que pagar doce mil dólares.

–Varon y yo estábamos en contacto permanente. Dos semanas después le hicieron más pruebas –continuó Ari–. A Moishe le dijeron que tenía que ir a Rochester, en Minnesota, para más estudios.

–Un viajero internacional, dijo Enrique.

–Pero no fue, sin embargo–, continuó Ari.

–¿Por qué no?, preguntó Galia.

–Supongo que prefirió no ir.

–¿Qué quieres decir?, terció Enrique.

–Moishe no me contó nada. En realidad, no volvimos a hablar, él y yo. Un tiempo después de su regreso de Houston, lo llamé por teléfono. Dos veces, tal vez tres, ignoró mis mensajes. Supongo que no quería someterse a ningún tratamiento.

Y Galia, de nuevo:

–¿Por qué no?

–Quizás estaba cansado... –intervino Fischer–. El día que paseamos por el centro, Moishe estaba melancólico. Fue probablemente después de los estudios. Hablaba de que se sentía como en una nube. Le pregunté si estaba bien. Me dijo que estaba *okay*, pero que había estado sintiendo unos síntomas diferentes.

–¿Cómo es eso?

–Dijo que no quería verse reflejado en espejos ni en nada. Antes de afeitarse dejaba correr el agua en el lavabo hasta que se llenaba. La dejaba así unos segundos, antes de sacar la navaja de afeitar.

–Todavía se afeitaba a la antigua, comentó Galia.

–Moishe me contó que una mañana le dio pánico cuando no pudo ver su cara reflejada en el agua –Fischer se interrumpió un momento–. Me hizo prometer que jamás se lo contaría a nadie. Me dijo que su terror interior se le hizo insoportable el día que de nuevo se fue a afeitar y no vio su imagen en el espejo; solo una luz enceguecedora.

–Un halo, aportó Gloria.

–Varios días después –continuó Fischer– durante nuestra caminata habitual de los martes, nos detuvimos frente al escaparate de una pastelería. Nuestra imagen se reflejaba perfectamente en el cristal, pero solo yo podía verla –Fischer se calló por unos segundos–. "Elías, querido amigo, tengo mucho miedo…", me dijo Moishe. "Siento como si ya me estuviera muriendo".

–Imposible, sentenció Enrique en tono práctico.

Fischer continuó.

–En la Alameda Central nos tropezamos con una placa que ponía "Plaza del Quemadero". Era el lugar donde en tiempos coloniales la Inquisición quemaba a los herejes en la hoguera. México era famoso como hervidero de "judaizantes". Varios famosos autos de fe tuvieron lugar allí a fines del siglo XVI. Moishe se enojó. "No sabía que la plaza donde Hilda y yo nos enamoramos había sido un sitio de martirologio", me dijo. Y entonces me contó la historia. Dijo que un empleado suyo de confianza en la fábrica de cueros entró una vez sorpresivamente en su oficina. El hombre había sido criado como católico pero hacía pocos meses había descubierto en el armario de su madre, recientemente muerta, un conjunto de elementos que creía de la religión de su jefe. Le preguntó a Moishe si podría echarles una mirada, y unos días más tarde el hombre apareció con una valija que contenía una *menorah*, una copa de vino para Pascua, un chal de oración, y unos libros en arameo. Moishe y el empleado hablaron durante una hora. Le propuso que le vendiera esos objetos, pero el empleado se ofendió y le dijo: "Esperaba respeto de usted, señor Moishe. ¿Quiere sacarme estas cosas? La Inquisición persiguió a la familia de mi madre. Necesitaba que usted me orientara". Una conversación que había comenzado amigablemente concluyó en una disputa. El empleado salió de la oficina de Moishe deprimido y él se sintió un total inútil. Intentó buscarlo, pero no encontró las fuerzas para hacerlo. "Hasta hoy, Elías, lo hecho de menos".

–¡Deprimente!, exclamó Galia.

Berele acababa de llegar al apartamento y apareció de súbito ante ellos. Parecía un poco agitado, tal vez porque al tomar el ascensor para subir se había encontrado con Trini, que salía para hacer algunos encargos. Berele obligó a Trini a quedarse en el ascensor y subir con él. El ascensor tenía apenas espacio para dos personas y no había nadie más con ellos. Cuando se cerró la puerta del ascensor, Berele sonrió a Trini y le acarició los senos y las nalgas. Ella no ofreció ninguna resistencia. En realidad, daba la impresión de que no era el primer encuentro de este tipo. Otros similares ya habían ocurrido antes. Unos segundos más tarde, la puerta se abrió en la quinta planta; Berele sacó un flamante billete de mil pesos y lo introdujo entre los senos de Trini. Justo antes de que la puerta se abriera, le dijo: "Para tu casita cerca del lago Texcoco". Cuando llegó al estudio había casi recuperado su apariencia normal, sus pantalones de gimnasia estaban en orden, su cabello lucía prolijo.

–Perdón, mil perdones –le dijo a Balkoff–. Es que tenía algo urgente que hacer en el CDI.

Mientras miraba a Berele desde las escaleras que llevaban al segundo nivel del apartamento, Fischer murmuró en *ídish*: "Una vez *luftmentch*..."

Los demás fingieron no prestar atención a la llegada de Berele..., excepto Ester. Lo vio llegar desde el salón y lo siguió mientras saludaba a familiares y conocidos. Finalmente lo arrinconó en el estudio.

–Lo has logrado, finalmente –dijo de modo antipático–. ¿No tienes vergüenza?

–¿Por qué debiera tener vergüenza?

–Tu padre ha muerto y tú estás vestido como si los Juegos Olímpicos estuvieran a punto de ser inaugurados.

–Ester, Moishe murió para mí hace años. Y además, no necesito otra madre. Guárdate tus reprimendas para otro.

Galia estaba incómoda. Salió de la habitación. En el segundo nivel encontró a Nicolás. Había estado orando en la cocina.

–Primo, ¿sabes si la palabra *shivah* se refiere a una diosa de los Libros Védicos?

Él le respondió con un gesto de indiferencia.

–La palabra significa "el puro". Es una de las conciencias originarias. No es más que una coincidencia, Galia.

–¿Crees en la reencarnación de las almas?

–Realmente, no. El *Talmud* dice que una sola obra de bien en este mundo vale una vida eterna en el Mundo que Vendrá.

Galia pensó un instante.

–¿De modo que eso quiere decir que hay un Mundo que Vendrá, aunque lo que hacemos en este no lo haga merecedor?

–La llegada del Mesías reunirá a todos los judíos, del pasado, el presente y el futuro. Todos serán transportados a Israel.

–¿Y cuándo llegará? ¿Puede ser que aparezca bajo la forma de un político, por ejemplo?

–Llegará cuando todos los judíos celebren a la vez y conjuntamente los seiscientos trece principios –las *mitzvoh*–que Maimónides enumeró para nosotros.

–¿Y son…?

–¡Ay, Galia! Van desde creer en Dios, hasta la prohibición del incesto, pasando por las leyes de la dieta.

–¿Los sabes todos de memoria?

Nicolás dudó.

–Sí, los sé.

–¿Cuál de ellos es tu favorito?

Nicolás sonrió.

–Me gusta el seiscientos diez: "No debes asustarte ni retroceder ante el peligro".

Galia se sintió asombrada.

–No sabía que eras un guerrero, primo.

Abrió el refrigerador y miró adentro.

–¡Ojalá hubiera una cerveza!

–No se puede beber durante la *shivah*, declaró Nicolás.

Galia cerró la puerta del refrigerador, salió un minuto al balcón, y volvió a entrar.

–Oye, ¿crees que el *Zeide* se sintió mexicano alguna vez?

–¡Que importa! México es una residencia temporal. Todos debemos hacer la *aliyah*. En realidad, en uno de sus viajes a Israel, Moishe me dijo que le gustaría emigrar.

–¿De verdad?

–¡No te miento!

–¿Y estaba muy avanzado el plan?

–No tengo idea.

–Entonces no era más que una fantasía...

–Puede ser... En todo caso el nacionalismo nos distrae de la fe.

Galia se sorprendió.

–¡Ay, por favor! No vuelvas con esa mierda de nuevo. En Israel, la población ortodoxa desconoce el enredo que es el conflicto de Medio Oriente. Se lo llevan de arriba porque están exentos de hacer el servicio militar.

–No somos soldados, porque somos estudiosos

–¿Y quién va a defender un país de estudiosos cuando se acaben los soldados?

–El ejército es solo para los que no creen, para los descarriados, dijo Nicolás.

–Aparta tu fe a un costado, por un momento.

–¿Y quién defiende a los judíos mexicanos? ¿Qué clase de ejército tienen?

–No pensaba que fueras un sionista fanático.

–No lo soy, respondió Nicolás.

–Tu Todopoderoso protege a los judíos mexicanos, ¿verdad?

Alrededor de las 5:30 p.m. sonó el teléfono y lo atendió Ester. Era Mabel Palafox.

–No quiero ser entrometida –dijo amable– ni quiero incomodar a la familia. ¿Habría inconveniente de que vaya de visita?

Ester se quedó sin habla, mientras Galia estaba a su lado. Y luego dijo:

–Sí, por favor, venga.

Ester colgó el tubo.

–*Mamá*... estuviste tan amable. ¿Qué sucedió con la que llaman *La Goye*? Era ella, ¿verdad?

–Bueno. La *shiksa* hablaba como una dama. Expresó sus condolencias, dijo que esperaba no haber molestado por asistir de lejos al funeral, y se preguntaba si podría pasar a dar las gracias a la familia.

–¿Dar las gracias?, preguntó Galia.

–Hace meses que Moishe no la visitaba. "Él y yo pasamos hermosos momentos juntos", me dijo.

La noticia de la venida de *La Goye* revolucionó el apartamento.

–Todos a portarse como corresponde, por favor, declaró Ester.

Media hora más tarde sonó el timbre de la puerta. Trini apretó el portero para hacer pasar a la visita. Unos minutos después, Ester y Enrique recibieron a una *mestiza* esbelta, morena, de cincuenta y tres años, que les sonrió humilde. Su elegante vestido negro le daba el aspecto de una actriz.

–Me parece que no nos han presentado. Yo soy Mabel Palafox.

–Gusto conocerla, respondió Ester.

Enrique preguntó a la visita si quería algo de comer.

–No, de verdad. Estoy bien, gracias.

–Hay de todo para comer –anunció Ester–. Después de siete días de duelo, el único que no necesita comida es mi suegro, descanse en paz.

Trini saludó afectuosamente a Mabel cuando le trajo un plato con un surtido de selecciones: fruta cristalizada, gelatina, *leikach*... La atmósfera era distendida. Pero Ester sin embargo estaba nerviosa. Para prevenir un desastre, Ester se preparó para monopolizar a Mabel. Aunque nunca habían hablado a solas, tenían mucho de qué hablar. Por suerte Berele no había bajado todavía de su nube para unirse al velorio.

Durante unos minutos fue una conversación inane. Pero pronto intimaron. Ester se sorprendió de cuánto le gustaba Mabel.

–Su padre era un *mensch*.

Ester se rió.

–Soy de Mérida, en Yucatán. Vengo de un origen humilde. No recuerdo de niña haber visto jamás a un judío. Los mencionaban en la iglesia, por lo general afeándolos: el judío tenía cuernos, un rabo de cerdo, usaba sangre de niños para amasar el pan de Pascuas... Moishe me enseñó el otro lado. Lo quise mucho. Yo trabaja para un socio suyo en el negocio del cuero. Nuestro idilio fue de película de Hollywood de los años 50: traía mariachis al pie de mi ventana, todas las semanas me daba una serenata; me llevaba a cenar a restoranes elegantes. No quiero entrar en detalles pero las noches que pasábamos en mi apartamento eran rejuvenecedoras. Los dos últimos años, sin embargo fueron tristísimos. Moishe estaba distraído. Hicimos un viaje a Tierra Santa pero la mayor parte del tiempo quería tenerme lejos.

–¿Por qué?, preguntó Ester.

–Le pregunté, pero nunca me dio una explicación clara.

–¿Se cansaron uno del otro?

–Tal vez yo fui para él la fruta prohibida. Pero una vez que se saturó con su perfume, decidió probar otra cosa.

–¿Y nunca hablaba de nosotros con usted?, continuó Ester.

–Todo el tiempo –respondió Mabel–. En realidad, muchas veces yo trataba de persuadirlo que los visitara. Pero se sentía incómodo. No estaba enojado con sus hijos, sino consigo mismo. ¿Qué te pone tan incómodo?, le preguntaba. ¿Será porque estamos juntos, porque estás conmigo, con una que no es judía? ¿Crees que están ofendidos? Al principio tenía miedo de contarles de mí a ustedes. Sí; mi presencia provocó su infelicidad. Mi familia, además, tampoco estaba de acuerdo; especialmente mi padre... Pero a mí no me importó. Moishe era tan gentil, tan sincero, tan generoso.

–Usted no quiere decir "gentil", sino "amable".

–Sí, *gentil.*

–¿Cómo supo de la muerte?

–Me llamó Trini.

Ester reflexionó un instante.

–¿Cuándo fue la última vez que se vieron?

–Ay. No me acuerdo. ¿El año pasado, tal vez? Pensé que había encontrado a otra; que ya no le interesaba. Después me dije que habría vuelto con su familia. Busqué su número en una vieja guía de teléfonos, pero no me atreví a llamar. "Si Moishe quiere libertad, pensé, quién soy yo para convertirme en un obstáculo."

Galia permanecía sentada al lado, en silencio. Fue ella quien dijo: "Usted no fue un obstáculo sino un trampolín".

De un altavoz de la calle Hegel, la voz triunfante de Vicente Fox, en tono seguro, se oía del apartamento vecino: "La edad de la inocencia ha terminado".

Tercer día

El martes era el día de la votación. A diferencia de las anteriores elecciones presidenciales, esta vez todo el mundo estaba ansioso de llegar a las cabinas de votación. Por esa causa, el grueso número de los asistentes a la *shivah* fue disminuyendo durante el día hasta eso de las 4:30 P.M.

Nicolás, por su puesto, se negó a votar. Unos años antes había devuelto su pasaporte mexicano. Galia tampoco planeaba ejercer sus derechos políticos. En su caso era simple apatía. ¿Para qué participar en una farsa política? Enrique y Ester trataron de hacerle cambiar de opinión, pero era una escéptica. Por este motivo, los primos permanecieron prácticamente solos. Trini también estaba por allí, pero la mayor parte del tiempo se ocupó de preparar unos platos que Rosita Shein le había encargado.

–Me subleva que nuestra fe prohíba la cremación –dijo Galia–. Cuando muera quiero que me conviertan en cenizas.

–El Todopoderoso nos hizo y el Todopoderoso nos deshará también.

En ese rato entró Elías Fischer en el apartamento. Estaba orgulloso de haber hecho escuchar su voz como un mexicano debe hacerlo.

–¿Y en qué influirá?, preguntó Galia.

–No me importa. Me hace sentir bien, y eso es lo que me importa.

–Señor Fischer, tengo una pregunta. ¿Qué pasa si Moishe realmente deseaba ser cremado y no tuvo tiempo de hacérselo saber a la familia?

–Para serle sincero, no creo que él haya pensado jamás en eso. Usted está tratando de controlar sus deseos, ahora que él ya no es más responsable por ellos.

–¿Y si él hubiera visualizado sus restos dispersos sobre el Océano Atlántico, entre el Viejo Mundo y el Nuevo.

–Galia, ese no es el *Zaide* que yo tuve –replicó Nicolás–. En Isarael me dijo que, a pesar del lote que poseía en el cementerio asquenazí de México, quería que lo enterraran en el Monte de los Olivos.

–Transportar el cuerpo debe costar un montón –dijo Fischer–. Además, nunca le oí decir nada por el estilo. ¿Monte de los Olivos? Por favor, no era sionista. Quería profundamente al Estado de Israel, pero no lo suficiente como para hacer la *aliyah*. Tú también le estás haciendo decir lo que nunca dijo, Nicolás.

–Al final no tiene importancia –respondió Nicolás–. Si no lo dejó por escrito, no es parte de su testamento. El judaísmo reconoce que el duelo es un sentimiento sumamente difícil. De modo que a quienes les toca, se les dice que hagan *mitzvoh*, para expresar su dolor, para orar, para compartir sus recuerdos. Pero a los judíos también se los alienta a que no se excedan en la rememoración, porque como dijo el rabino Yekutiel de Praga, "cuando un hombre cultiva en exceso el dolor por sus muertos, pronto se encuentra llorando por otro muerto: él mismo".

De pronto, Galia, asombrada, exclamó:

–¡Mira, primo! La botella de agua... ¡Está a medio vaciar!

Junto a ella se encontraban las velas fúnebres: ardían inmóviles. La conversación fue interrumpida por una ola de visitas que entraron en el apartamento. Estaban inspirados por la atmósfera de democracia imperante afuera.

–México no está más bajo un régimen dictatorial, comentó alguien.

–Otro tipo de tiranía ha descendido sobre nosotros –anunció Berele–. La cacofonía del pluralismo.

Una hora más tarde, Galia, aburrida por lo repetitivo de la *shivah*, investigaba el contenido de algunas gavetas de la oficina de Moishe. Tropezó con un paquete de viejas fotografías. Una de ellas mostraba a Moishe con otros turistas en Machu Picchu. Otras imágenes lo presentaban cerca de la Torre Eiffel, o nadando en la Riviera francesa, o cargado de bolsas de compra cerca de una gran tienda de Copenhague... Revolvió más y dio con varios sobres de papel de Manila. En uno de ellos estaba escrito "Nicolás Tartakovsky:

Bar Mitzvah. Abril 7, 1984". Lo abrió. Adentro había una invitación, un par de fotos, y recibos y cheques cancelados. También había una nota manuscrita de tres páginas dirigida a Berele. Galia la leyó con atención. En ella, Moishe describía su larga, conflictiva relación que, según decía, comenzó cuando Berele estaba todavía en el colegio. Desaprobaba sus fines de semana de fiestas y sus novias rotativas. "Cuando llegó el momento de que aterrizaras –decía Moishe– tu madre y yo pensamos en enviarte a una academia militar. Pensaba que no saldría nada bueno de ti... y tuve razón". Galia se sintió más intrigada a medida que el tono de la carta se hacía más severo. "Si hubiera sido por ti, Nicolasito no habría tenido su *Bar Mitzvah*. Al menos estoy agradecido de que diste un paso al costado y nos dejaste a tu madre y a mí ocuparnos de eso. Me enorgullece que tu madre haya podido estar presente en la ceremonia. El muchacho necesita alguien que lo dirija, igual que tú. No puede crecer y convertirse en otro Berele".

Galia estaba asombrada. Estaba claro que tras el fracaso de Berele como padre, Moishe había asumido la responsabilidad de la educación de Nicolás, no solo mientras Hilda Tartakovsky vivió, sino incluso cuatro años más tarde, tras la muerte de ella. ¿Sucedió demasiado tarde, sin embargo? Después de todo, solo se tranquilizó pasada la adolescencia, una vez que el robo del banco quedó atrás y él se fue a vivir a Jerusalén.

Había también varias necrológicas publicadas en 1988 y un montón de cartas de condolencia, aunque ninguna era de Berele. A medida que la curiosidad de Galia crecía, fue sacando más objetos de la gaveta y descubrió unas fotos de Nicolás, ya convertido en un judío ortodoxo, con su chal de oración y un *yarmulke*, junto al Muro de los Lamentos.

Había también imágenes de Moishe en Haifa, con Nicolás; en Zikhron Ya'akov, cerca del Mar de Galilea, en un restaurante desconocido...

Galia colocó todo de nuevo en sus respectivos sobres. Entonces abrió otra gaveta. Contenía contratos de alquiler, declaraciones de impuestos, pasaportes viejos y documentos de identidad, las libretas de calificaciones de la academia militar de Nicolás, llenas de notas mediocres o suspensos, y dinero de diferentes países. También encontró algunos LPs de la década de 1980: uno de Bary Manilow; otro de los Bee Gees. Habían sido de Nicolás, probablemente. Había discos de música mexicana: José Alfredo Jiménez, Los Tigres del Norte, Juan Gabriel... Encontró también uno de Rubén Blades. Una canción de éste, *Desapariciones*, había sido copiada en un hoja de papel. Galia leyó el estribillo:

> ¿Adónde van los desaparecidos?
> Busca en el agua y en los matorrales.
> ¿Y por qué es que desaparecen?
> Porque no todos somos iguales.
> ¿Y cuándo vuelve el desaparecido?
> Cada vez que lo trae el pensamiento.
> ¿Cómo se le habla al desaparecido?
> Con la emoción apretando por dentro.

Galia siguió revolviendo... Había un álbum filatélico. Sellos curiosos de Suiza, Hawai, Martinica, Nigeria y Vietnam. En una sección aparte encontró algunos primitivos sellos postales israelíes. Uno era de 1951, otro de 1953. ¿Eran de Moishe? ¿Le gustaba coleccionarlos? Recordaba que cierta vez Ester le había contado que de adolescente había sido un coleccionista apasionado. Al cabo de un rato encontró una caja sin nada que la identificara. La abrió y estaba llena de recortes de periódicos sobre el asalto al banco y la intervención de Nicolás en este. "Ladrones intentan asaltar banco / Dos detenidos por la Policía".

Un sentimiento de envidia se apropió de su corazón. ¿Por qué Moishe no había congeniado con ella de la manera en que lo hizo con Nicolás? Con su hermano el *Zeide* había estado obviamente más cerca. ¿Se debía a que era una mujer? Pensó que las judías mexicanas de la generación de Moishe eran francamente serviles. Podían estudiar, pero al final quienes tomaban las riendas eran los varones. ¿Acaso la familia de Hilda se reunió para su *shivah* con el mismo interés? En realidad, no recordaba que cuando murió su *Bobe* se hubiera producido mucha agitación. Se hizo una nota mental para preguntarle a su madre qué había sucedido.

Cuando Galia guardaba el último manojo en la segunda gaveta, encontró un video. En el exterior ponía "¿Adiós?" Lo examinó detenidamente pero la interrumpieron unas voces afuera de la oficina de Moishe. Se sintió una ladrona, inmiscuida en la vida privada de otro, y rápidamente volvió a colocar el video en su lugar. Compuso un poco su vestido, abrió la puerta, miró alrededor y se preguntó si alguien habría estado espiándola.

Mientras tanto ya se acababa la tarde. La puerta del ascensor se abrió otra vez y una banda de mariachis entró en el apartamento. Fischer y Nicolás dejaron de lado sus libros de oraciones y saludaron a los músicos, mientras Galia seguía la conversación desde la cocina. Nicolás tomó los *yarmulkes* apilados sobre la mesa del comedor y dio uno a cada uno de los músicos para que se cubrieran su cabeza.

–Mi nombre es Nicasio Hernández. Mis condolencias para la familia. Don Moisecito fue un amigo querido. Me contrató muchas veces para darle serenatas a la señora Palafox.

–Don Moishe murió el viernes, dijo Nicolás.

–Sí, me enteré de la noticia. Estamos muy tristes... Vinimos a hacerle un homenaje y a cantarle al cuerpo.

Ari escuchaba el diálogo desde el balcón. Fischer vaciló.

–El cuerpo fue enterrado el domingo.

–¡Ay, caramba! ¿Pero aquí no es el velorio?

–Sin el cuerpo.

–Entonces podemos tocar para los asistentes. Don Moisecito fue tan generoso con nosotros...

–Mejor, otra vez.

–¿Y una canción corta? Don Moisés nos enseñó a cantar en *yiris*.

–¿Quiere decir, en *ídish*?

–Sí, una ranchera en *yiris*. Don Moisecito nos iba a buscar a Plaza Garibaldi. Durante un tiempo le gustaba darle serenatas a la señora Palafox. Pero después comenzó a venir solo, de noche tarde, para escuchar tocar a la banda.

–¿Por la noche tarde?

–¿Moisés Tartakovsky?, intervino Fischer.

–Sí, señor. Cantaba con nosotros varias rancheras. Y después nos enseñó a cantar en *yiris*.

La anécdota hizo sentirse incómodos a quienes la escuchaban.

–Otro día, amigo, repitió Fischer. Señaló con el dedo en dirección al salón. Un pequeño grupo se preparaba para el servicio de *Ma'ariv*.

–Los asistentes van a comenzar un rito religioso.

Comprendiendo lo inoportuno del momento, los mariachis se encaminaron hacia el ascensor.

–Otro día, entonces, repitió don Nicasio.

Justo cuando el ascensor los estaba acomodando, Galia se acercó a Ari. Estaba tomando un respiro en el balcón. La oscuridad había descendido sobre la metrópolis.

–¿Oíste lo que dijeron los mariachis?

–¿Qué cosa?

–Moishe se pasaba horas en la Plaza Garibaldi. Nuestro abuelo se vuelve cada vez más enigmático a medida que pasan las horas. ¿Enseñarle a los mariachis a cantar en *ídish*? Nunca supe que le interesara la música.

–Ni yo tampoco, respondió Ari.

Galia pensó un instante.

–Me gustaría tener una filmadora. La *shivah* sería una excelente película.

Unos minutos más tarde, en el salón, Ester trataba de recuperarse del altercado con Berele, cuando Pinchas Barshavsky, un hombre mayor, casi ciego, que caminaba con bastón, la saludó. Le preguntó a Ester, en *idish*, cómo se sentía. ¿Estaba bien? ¿Había asimilado bien la familia la muerte de Moishe Tartakovsky? Ester trató de desligarse, pero Barshavsky comenzó a contarle una historia: "¿Sabes?, cuando Hilda, tu madre, murió, Moishe compró el lote del cementerio. ¿Sabes que se lo vendí yo? ¿Y tienes idea de cuánto le costó? Apenas setenta mil pesos. Eso fue antes que el peso se volviera liviano como una pluma. Por ese precio podría haber comprado una docena, ¿no te parece? ¿Y quiéres creer lo que vi los otros días en el Panteón Jardín? Vi un enorme anuncio: "Liquidación. ¡Aproveche! Compre dos lotes por el precio de uno. Regale uno a un ser querido. Nunca lo olvidará".

–¡Qué obsceno!

–Obsceno, sí. ¿Pero acaso no va todo el país en esa misma dirección? Todos los días uno lee en el periódico que otra persona ha sido secuestrada. O, si no, asesinada. ¿Esto es lo que significa el fin del PRI? Y tengo otra historia para contarte –continuó el pariente–. ¿Sábes cómo consiguió Moishe su chalet de fin de semana en Cuautla? Había hecho un negocio con un *shmendrik* cuyos bienes le fueron repentinamente embargados por el banco. En compensación, Moishe recibió el chalet, pero estaba en muy mal estado, espantoso. Arreglarlo le costaría un montón de dinero. Preferible venderlo y comprarse uno en mejor estado, ¿no? Pero cuando a Hilda le gustaba algo, nadie podía tocarlo. Moishe sabía que era prácticamente imposible convencerla de que lo vendieran. ¿Y entonces qué hizo? Se despertó en medio de la noche y fingió que había tenido un sueño. ¿Sabes?, uno de esos que te hacen despertar sudando. Nada lo podía tranquilizar. Hilda, por supuesto, se asustó. Le pidió que le contara allí mismo la pesadilla. Él lo hizo, con lujo de detalles.

–¡Hilda, he visto a tu madre, Shayne, descanse en paz!, le dijo.

–¡La viste! ¿Y qué te dijo?, preguntó Hilda.

–Tenía un aspecto horrible.

–Bueno. Está muerta. ¿Qué aspecto querrías que tuviera?

–Me dijo que tenía un mensaje. Le pregunté qué era.

–¿Has visto la casa de Cuautla? Tienes que venderla sin demora, me dijo Shayne.

–¿Por qué?, le pregunté.

–Porque está habitada por *dybbuks*. El dueño anterior fue un asesino. Mató a su mujer y a sus hijos.

–¿Un asesino?, exclamó Hilda.

–Es lo que me dijo tu madre, descanse en paz, respondió Moishe.

–¿Y cómo crees que lo habrá descubierto?

–Eso no te lo puedo decir, Hilda. ¿Te crees que estoy enterado de lo que hacen los muertos?

Pocos días más tarde, el chalet de Cuautla fue vendido a un buen precio.

Ester hizo una mueca.

–¡Es una historia deliciosa! Lamento decirte, sin embargo, que Moishe Tartakovsky, mi padre, nunca tuvo una casa en Cuautla.

–Sí, la tuvo.

–¡Que no!

–¿Y cómo lo sabes?, le preguntó Barshavsky.

–Bueno, porque soy su hija. Eso es explicación suficiente, ¿verdad?

–Estercita, escúchame. Soy un poco más viejo que tú. Tal vez no demasiado, pero lo suficiente como para poder ver con más claridad estas cosas. En México, nada es lo que parece. Tenemos un sentido barroco de la realidad. ¿Sábes que quiere decir barroco? Un estilo que te permite ocultarte detrás de tu propia fachada. Somos todos hipócritas... Decimos una cosa y hacemos exactamente la contraria. El Moishe Tartakovsky que tú conociste no es el mismo que frecuenté yo.

–¿Cómo era ese?

–Un artista de la fuga. Un día estaba yo con él en un desayuno de negocios. Un poderoso empresario católico, cuyo nombre no puedo mencionar, dijo a tu padre en tono acusador que el odio contra los judíos estaba justificado porque ellos habían matado a Cristo. ¿Sabes qué le respondió Moishe? Quería que el católico entrara en un negocio, y le dio la razón. Sí: le concedió al católico que los judíos se merecían los siglos de castigo del antisemitismo por lo que habían hecho con Cristo en la época de los romanos. ¿Y sabes qué sucedió después? Llegó un acuerdo para vender miles de chaquetas de cuero para las tiendas de El Puerto de Liverpool en todo el país. ¡Un hombre de principios, eh!

–¡No hables mal de los muertos!

–¡Bah, los muertos son más listos de lo que nosotros creemos! La pregunta de siempre es: ¿Eso es bueno para los judíos?

–Nunca deje de hacérsela, señor Brashavsky, respondió Ester.

–No te preocupes, Estercita.

Cuarto día

En el salón, Ester estaba rodeada de un grupo de sus amigas. Las tres D, como las llamaba: Dana Frumke, Dina Nashelsker y Dafna Shweid. Las tres llevaban vestidos a la moda, elegantes zapatos de tacón alto, y peinados ostentosos. Enrique solía bromear diciendo que lo que se gastaban en ropa sobraría para pagar la deuda externa de México.

–No se si será verdad, pero corre el rumor de que en la muerte de Moishe hubo juego sucio, anunció Dafna.

–¿Quién te lo dijo?, preguntó Ester.

–La gente dice que Elías Fisher pudo salvarle la vida, agregó Dina.

–Fischer no es médico.

–No hace falta ser un especialista para hacer respiración boca-a-boca. Tal vez Fischer estaba metido en algo sucio.

–El obituario de *El Universal* dice que tu padre murió en la morgue.

–¡Cómo es posible! Tendrían que haberlo llevado al hospital, no a la morgue.

–¿Has encontrado el testamento?

–Berele y yo tenemos cita con su abogado, el licenciado Balkoff.

–Ahí descubrirás la verdad.

–Tendría que haber una investigación con todo, creo. ¿Los auxiliares médicos tenían certificados en regla? He oído de un caso en Puebla donde una banda de ladrones se aparecía en ambulancia. Solo atendían llamadas de gente rica. Ni bien llegaban, uno inyectaba morfina a la víctima. La colocaban en una camilla y se la llevaban. Por supuesto, la ambulancia nunca llegaba al hospital. Usaban tarjetas de crédito de varios cajeros automáticos.

–¿No hubo autopsia –preguntó Dafna–. Así nunca se sabrá la causa de muerte.

–Sí. Al final le hicieron la autopsia, respondió Ester.

–¡Ay! ¿Y cómo fue eso? ¡No está bien!, protestó Dana.

–En todo caso, Moishe vivió una vida plena, ¿verdad, Ester? Viajó por todo el mundo.

Ester se sentía agobiada. La muerte de Moishe la estaba conmoviendo hasta la médula. Sería mejor pasar un rato con Galia, volver al apartamento de Polanco, estar con amigos. Estaba empezando a cansarse de las insinuaciones. Además echaba de menos su rutina semanal: su trabajo en la consulta de oftalmología de Enrique; el voluntariado como tesorera de Damas Pioneras... Ahora era una huérfana. ¿Sería capaz de sobrellevarlo? Perder a los padres significa que ya no queda nadie entre uno y la muerte.

El único superviviente de la familia era Berele. Ester había renunciado a él hacía mucho tiempo. Era tan torpe en cuestiones de relación que en privado Enrique lo llamaba *El Cucú*.

–Berele ha sido un desastre desde la adolescencia, observó Dina.

–Peor que su hijo, Nicolás, agregó Dafna.

–Pobrecita de ti, Ester. Tendrás que resolver las cuestiones legales con él; no tendrás más remedio. Será un jugador y un mujeriego, fuera de nuestra comunidad. Pero sigue siendo tu único hermano.

–¿La madre de Nicolás no trabaja de secretaria en la fábrica de cueros?

–¿Saben qué, niñas? Necesito dormir una siesta. Estoy cansada de tanto conversar.

Se despidió y se dirigió a la escalera. Mientras subía a la planta alta, oyó a un visitante que hablaba sobre los judíos de Alemania antes de la II Guerra Mundial.

–Esperaron demasiado... ¿Y saben lo que selló su suerte?

–¿Qué?, preguntó alguien.

–La democracia. Adolf Hitler fue elegido canciller. En otras palabras: llegó al poder legítimamente.

Ester estaba nerviosa. El hecho de que la muerte de Moishe hubiera coincidido con la elección presidencial acentuaba su malestar. Estaba por olvidar lo que acababa de oír, cuando se oyó a sí misma responder: "¿Entonces México es peligroso? ¿Tendría que irse con sus hijos a los Estados Unidos?"

Ester no esperó a oír su propia respuesta. Llegó al segundo piso y se encerró con llave en una de las habitaciones.

Una vida plena... ¿Había vivido Moishe una vida plena? ¿Y ella misma?

En la planta baja, Galia inspeccionaba la botella de agua, puesta en el extremo de la mesa del comedor. Estaba a medias. "Moishe debió pasar sed en el último periodo de su vida", pensó. Cuando miró las velas funerarias comprobó que estaban a punto de expirar. Llamó a Nicolás.

–Mira, primo. Tal vez tenga que empezar a creer en fantasmas. El abuelo se nos está yendo...

Galia no obtuvo respuesta. Miró alrededor. Nicolás no

estaba por ahí. Estaba arriba, sesteando en un colchón. "Es el *jet-lag*", se excusó más tarde.

Una media hora más tarde, Galia, cansada de no hacer nada, volvió a tomar el ascensor. Cuando se abrió la puerta, tropezó con Elías Fischer. Cambiaron un par de palabras amables. Ella dijo que necesitaba caminar un poco y por cortesía le preguntó si quería acompañarla.

–Cómo no...

Eran alrededor de las 3:30 P.M. La calle estaba a plena actividad. Había un par de restoranes cerca, pero estaban llenos. En la parada de autobuses se juntaban los pasajeros. Un nuevo estado de futbol, Tequila Sauza Añejo, se anunciaba en lo alto de los edificios, igual que una nueva línea de ropa interior para damas. En las paredes, los carteles a favor de la democracia iluminaban el barrio. Galia se fijó en uno: "En democracia, México resucita". Ella y Fischer hablaban del espíritu de transformación que vivía el país. Su tiempo en Nueva York le hacía ver todo con ojos extraños. ¿Puede ser que en el futuro el presidente no sea del PRI? ¿Cómo se manejará el país sin una figura central que tome todas las decisiones? Se preguntaba si *el genio* estaría a punto de salir de la botella.

–Mi madre piensa que se acercan tiempos peligrosos...

–Lo dudo, respondió Fischer.

Encontraron un café. La conversación derivó a Moishe.

–Cuando era niña, Moishe me llevaba al centro, a la Avenida Francisco I. Madero. Ester y Enrique estaban ocupados, así que el *Zeide* se ofrecía. Yo me tomaba fuerte de su mano izquierda mientras surcábamos las esquinas llenas de gente. Hablaba con un comerciante de cueros aquí, cobraba una deuda allá.

Fischer comentó que el barrio cercano a la Avenida Madero era el ecuador de Moishe.

–En el último par de años, él y yo veníamos todos los jueves puntualmente a tomar el desayuno. A veces visitábamos la sinagoga de la calle Justo Sierra o la *mikvah* de la calle Jesús María.

Cuando llegó de Lituania, le contó Fischer, Moishe vivió en esta parte de la ciudad.

–Era un inmigrante típico, hambriento y sin un céntimo, concluyó Fischer.

–Me da la impresión, por lo que he oído, que hacia el final Moishe se sentía perseguido por fantasmas. Trato de componer su vida. ¿Por qué abandonó a Mabel?, preguntó Galia.

–Ya no la llamas más *La Goye*.

–Es toda una señora, respondió Galia.

–Moishe estuvo enamorado de ella. Compartieron los placeres de la intimidad. Después de la partida de Hilda y su muerte, se volvió un hombre frágil, aunque se esforzaba por dar la impresión de que estaba entero. El hecho de que Mabel Palafox hubiera sido modelo era importante para él. Yo tampoco sé qué sucedió con Moishe al final. No hablaba casi nada de sus preocupaciones. Sospecho que con el éxito de Ari como médico, la emigración de Nicolás a Israel, tú en Nueva York, y su relación con Berele estancada, tenía poco que esperar del futuro. En nuestras partidas de póker me contó de haber pasado la noche solo en un motel para prostitutas, no lejos del Palacio de Bellas Artes. Le pregunté si podía ayudarlo en algo. De nuevo me dijo que estaba todo bien, como cuando lo agobió el terror aquella mañana en que no pudo ver su imagen reflejada en el espejo".

Después de un rato, Fischer agregó:

–Le llevó un tiempo finalmente decirme algo con sentido...

–¿Qué fue?

–Tu abuelo me contó un secreto. Me dijo que el hotel donde había estado se llamaba Hotel Garage.

–¿Estaba con una mujer? ¿Se llevó una puta de la Plaza Garibaldi?

–Yo le pregunté lo mismo, Galia. Me dijo que no; que estuvo solo todo el tiempo. Me dijo que estuvo totalmente despierto. En algún momento del amanecer, cuando sus párpados estaban por cerrarse, escuchó voces y percibió una presencia luminosa. Su corazón latía fuerte. De pronto vio a sus padres, Leibele y Bashe. Tenían aspecto joven y sonreían. La última vez que los vio había sido en Vilnius, cerca del río Neris, antes de partir hacia Liverpool. Moishe y Srulek, su hermano mayor, habían hecho las maletas y estaban prontos para viajar a América. Se despedían de sus padres, sabiendo muy bien que tal vez no volvieran a verlos nunca más. En la aparición vestían la misma ropa.

–Fue un sueño.

–Puede ser. Moishe me dijo que su madre se le acercó y le susurró algo al oído. No pudo entender las palabras. Él trató de decirle que nunca había llegado a Nueva York.

–¿Era el destino del viaje?

–Un tío les había escrito. Se suponía que los iría a esperar a la salida de Ellis Island. Pero las cuotas de inmigración hicieron imposible que el barco en que viajaban los hermanos llegara a Nueva York. Lo detuvieron en Cuba, y nadie pudo desembarcar. Cuando Srulek y Moishe atracaron en Veracruz, y unos días después descubrieron que estaban en Jalapa, habían perdido la dirección del tío. El hecho de que no pudieran nunca contactar con su pariente fue un motivo de tristeza para Moishe durante toda su vida.

–Me gustaría poder hablar con él ahora.

–Moishe soñaba que su madre le hablaba al oído y le decía que ya no era necesario buscar a su tío. Que su tío había muerto y lo esperaba en el Mundo por Venir.

A medida que anochecía, Berele seguía sentado en el asiento trasero del Volkswagen; el chofer, al volante. Ester salió del edificio frente a la calle Hegel. Exageraron unos besos tibios.

–Le dije a Balkoff que llegaría enseguida, informó a su hermana.

Un poco después, Ester le preguntó:

–¿Moishe y tú se cruzaban a menudo en el CDI?

–¿Por qué?

–No sé... Me parece que tú también pasas mucho tiempo en las instalaciones.

–Una o dos veces. Ambos encontramos estrategias para evitarnos mutuamente. Sabes, hermanita, la comunidad judía es un agujero negro. Si lo desea, cualquiera se pierde fácilmente en ella.

En la radio anunciaron las noticias.

–Por favor, sube el volumen, dijo Berele al chofer.

Con una voz profunda y calma, el locutor anunció: "Es oficial: Vicente Fox, el candidato del PAN, es el presidente electo de México. Dentro de poco el presidente Ernesto Zedillo lo reconocerá como el nuevo líder mexicano".

–¿Crées que sin el PRI México será un país estable, Berele?, preguntó Ester.

–¿Tenemos otra opción?

–Claro que sí.

–¿Qué opción nos queda?

–Irnos.

–¿Hablas en serio?

Ester no respondió.

–¿Podría Enrique mudar su consulta de oftalmología? ¿Adónde? ¿Dónde vive Galia? Ella es joven, todavía. ¿Estás segura de que se quedará en Nueva York? ¿Y dejarías aquí a Lucy, tu nieta? Francamente, lo dudo. En todo caso, ¿por qué tendrías que irte? México es un país de abundancia.

–Es que...

Ester decidió cambiar de tema.

–Sabes, me siento incómoda hablando de la última voluntad y del testamento de Moishe antes de que concluya la *shivah*.

–Hay que hacerlo. De lo contrario, *La Goye* puede desaparecer con todo, respondió Berele.

–¿Mabel Palafox? No digas tonterías... ¿Sabías que el lunes se resentó en la *shivah*? Creí que sabías... Obviamente. Te estabas comportando como un crío.

–¿Sí?

–Una señora muy agradable. Moishe no era ningún tonto.

–¿Qué dijo? ¿Sabes? Yo me sentía muy mal pensando que papá podía haber muerto estando con ella.

–En realidad, tampoco se veían desde hacía tiempo.

–¿Qué quieres decir con "tampoco"?, preguntó Berele.

–Cuanto más gente habla de sus últimos encuentros con Moishe, más claro tengo que pasó sus últimos tiempos solo.

–¿Solo? Cenó con Elías Fischer el jueves, la noche antes de morir...

–No es eso lo que quiero decir. Cuando estaba con otros se mostraba evasivo, distante, no como era él.

–Podría haber sido peor, respondió Berele.

El Volkswagen llegó al bufete de Balkoff al mismo tiempo que él. Se encontraba en un edificio exclusivo de la Avenida Presidente Masaryk. Les abrió la secretaria. Balkoff preguntó cómo lo llevaban los Tartakovsky. Se disculpó por no haber podido ir a la *shivah* el día anterior.

Unos minutos después Berele lo interrumpió para ir directo al asunto. Le preguntó si conocía el testamento de Moishe.

–Lo conozco. No te gustará.

Berele preguntó por qué y Balkoff eludió la pregunta.

–Está claro que en el final de su vida Moishe pasó por un momento difícil.

–La familia también. Desde que se separó de Hilda y ella murió. Vendió la casa en Tecamachalco. Poco después, me tuve que hacer cargo de la fábrica…, respondió Berele.

Balkoff volvió a hablar.

–Me llamó a principios del año pasado, para el aniversario de la muerte de Hilda. Yo estaba en Singapur en ese momento. Mi secretaria le dijo que yo volvería en unos pocos días. Le preguntó si podría esperar. "Por supuesto", le dijo. "He esperado toda mi vida para esto. ¿Por qué no podría esperar unos días más?" Cuando finalmente lo vi, me dijo que toda su vida había girado alrededor de poseer, acumular propiedades: inmuebles, automóviles, joyas…

–¿Tenía una casa en Cuautla?, preguntó Ester.

–¿En Cuautla?, se preguntó Berele.

–Una en Cuautla, otra en Acapulco, otra más en Tallahassee, en Florida. Creo que había una más en Dallas, Texas, también.

–¿Cómo? ¡Eso vale una fortuna enorme?, intervino Berele.

–Lo era, efectivamente.

–¿Cómo llegó a ser tan rico?

–Moishe invirtió inteligentemente.

–¿No le habrá dejado esa fortuna a Mabel Palafox, verdad?

–Ella no lo sabe, todavía, pero digamos que Moishe le ha

dejado lo suficiente como para que no tenga que preocuparse por nada el resto de su vida.

–¿Y al resto?

–Trini, la empleada, también recibe una suma considerable. El testamento dice que ese dinero debe se empleado "para terminar la construcción de una pequeña residencia en Texcoco". Cuando regresé de mi viaje, fui a verlo a su oficina. Me dijo que había decidido liberarse de todo lo que tenía, hasta el último centavo. Uno por uno.

–Todo por *La Goye*. Mabel Palafox se adueñó de todas sus propiedades, dijo Berele.

El abogado lo escuchó, y continuó.

–Lo dudo, Berele. Discutimos su decisión en profundidad. Llevó algo menos de tres meses desprenderse de todo.

–¿Le dejó algo a la familia?

Balkoff calló.

–¿Lo hizo?

–No.

El abogado sacó una carpeta. Se la alcanzó a Berele y Ester. La leyeron lentamente.

–¿Y el apartamento de Polanco?

–Se vendió hace seis meses.

–¿A quién?

–A un matrimonio japonés. Está previsto que lo ocupen en mayo.

–Faltan unos pocos meses. Habrá que vaciar todo antes, dijo Ester.

–Hay algo que está mal.

–¡No me digas! Pensarás que tu padre estaba enojado contigo, respondió Balkoff.

–Yo lo estoy, dijo Ester.

–Yo lo vi muy sereno. Le pregunté si no le parecía apropiado dejar sus bienes a sus hijos. Me dijo que había transferido una importante suma de dinero a la cuenta de Nicolás en Israel.

–Moishe se ocupaba de Nicolás porque se sentía culpable, dijo Berele.

El abogado continuó.

– "¿Nada para los demás?", le pregunté.

–No. Ya han heredado lo que les correspondía, me contestó.

Ester lloraba.

–Debo decirles que hay un par de cosas más. Aunque traté de disuadirlo, hizo una importante donación a la campaña de Vicente Fox. La dije que era dinero desperdiciado. Todos sabemos que la Iglesia apoyaba su campaña, como una cantidad de grupos católicos ultraconservadores.

–No lo puedo creer, comentó Ester.

Balkoff agregó un punto más.

–Y en su testamento y última voluntad, Moishe pide ser cremado. No quiso dejar ningún rastro físico. Obviamente, ya es demasiado tarde.

Quinto día

Apenas despierta, junto al lavabo, con el grifo abierto al máximo, Galia bostezó. Estiró los brazos y el cuello. Luego destapó el espejo detrás de la repisa. Estaba a medio desvestir, a punto de darse una ducha. A su lado había una toalla. En el suelo, se amontonaba una pila de ropa interior, toallas, vestidos. De pronto, una poderosa luz que emergía detrás de ella, una luz purificadora, la cegó.

"¿Será el alma de Moishe?", pensó.

A pesar del miedo, pensó en salir corriendo en busca de Nicolás. En cambio, respiró hondo, cerró sus ojos, y se echó agua fría en la cara. Cuando volvió a levantar la mirada, la luz había desaparecido tan mágicamente como cuando apareció. Galia abrió la puerta y salió, dejando su sostén en el piso.

Unos minutos más tarde, Nicolás entró en el baño. Estaba a punto de orinar cuando vio el sostén. Su sola presencia lo perturbó y comenzó a temblar. ¿Qué debía hacer, a continuación? ¿Debía devolvérselo a su prima inmediatamente? La ortodoxia procura maneras de aplacar los instintos. Entonces pensó: ¿Y si Galia lo había dejado allí para transmitirle un mensaje? Lo tocó. Lo olió. Era suave pero el olor no era delicado. Lo envolvió rápidamente en una toalla. En su habitación, guardó la toalla en una maleta, ocultándola debajo de unos calzoncillos y calcetines, pero dejando la tapa abierta. Luego descendió por la escalera. En el refrigerador lo aguardaba un plato de frutas.

A esa hora, Galia estaba en su habitación. Una foto colocada cerca de la ventana los representaba a ella y Ari cuando eran niños, vestidos como cowboys. La imagen la puso nostálgica. Debía ser parte de la *purimshpiel* en la *Yiddishe Schule.* La *shivah* de Moishe de alguna manera era también una *shpiel.*

Mientras se vestía se preguntó qué pensaba Moishe, en los últimos momentos de su vida. Mientras su corazón aún palpitaba, ¿se habría dado cuenta de que su muerte era inminente? Se estiró los jeans. Buscó el sostén. ¡Uy! Se lo había olvidado en el baño. Decidió ponerse una camisa sin nada debajo. Lo recuperaría ni bien estuviera lista. Entonces pensó en los sueños de Moishe. ¿Qué clase de sueños tendría? Pensó para sí que los sueños de una persona son una realidad paralela.

Cierta vez, cuando era una niña de ocho años, pasó la noche en casa de Hilda y Moishe. Sus abuelos vivían todavía en la casa del barrio de Tecamachalco. La pesadilla que tuvo, breve pero decisiva, fue tan poderosa, tan tremendamente amedrentadora, que después de tantos años todavía le provocaba miedo. Había un camión lleno de parientes. Toda la familia Tartakovsky estaba en él, excepto Ari, que entonces tenía nueve años. Enrique estaba en el asiento del conductor; Ester se sentaba a su lado. El camión marchaba a unos cien kilómetros por hora. Todo el mundo parecía alegre hasta que, súbitamente, su hermano aparecía en medio de la calle. Enrique no podía frenar el camión a tiempo y le pasaba a Ari por encima, aplastando su cuerpo con el vehículo. Ella se dio vuelta para mirar los restos de su hermano y vio cómo la cabeza ensangrentada rodaba rápidamente por abajo del camión.

Después de ponerse crema hidratante en la cara, Galia regresó al baño a buscar su sostén. Miró por todas partes pero no lo encontró. ¿Lo habría dejado detrás de la puerta, colgado de la percha de las toallas?

Le cruzó por la mente que Nicolás había estado allí después que ella. ¿Se lo había llevado él? Por curiosidad golpeó a su puerta. Nadie le respondió. La empujo un poco. En el suelo había varios volúmenes del *Talmud*, abiertos. Las letras hebreas eran minúsculas. ¿Usaría lentes, el *primo*? Se podía estropear la vista leyendo un texto así. Cuando estaba por salir sus ojos se detuvieron en la maleta. Los tirantes del sostén se veían colgar entre los pliegues de la toalla. Se rió sola. "La devoción es otra forma de ceguera", pensó.

Hacia las cuatro de la tarde, Enrique, sin afeitar, hablaba afectuosamente con Rifka y Gitele, un par de gemelas idénticas, de edad mediana. Habían estado en la misma clase que Ester, en la *Yiddishe Schule*. Cuando Enrique era adolescente había salido con una de ellas, Gitele, aunque siempre había sospechado que Rifka aparecía en su lugar cuando su hermana estaba indispuesta. Pero nunca había podido sorprenderlas en el acto de intercambiar identidades.

Rifka se excusó para visitar a Trini en la cocina, y Gitele discretamente se acercó un poco más a Enrique. Habían sido novios en la *Yiddische Schule* pero en los últimos años solo se habían visto una vez, en una circuncisión. Su reencuentro en la *levaya* de Moishe, pues, y la oportunidad de hablar sobre el pasado, resultaban agradables para ambos y no dejaba de provocar cierta electricidad sexual. Gitele describió a Enrique la operación de cirugía estética que se había hecho recientemente en Dallas: una técnica avanzada para aumentar los pechos y hacerlos a la vez firmes y redondos.

–Pienso a menudo en aquellas noches, tarde, en casa de mis padres, en Tecamachalco. Pues últimamente las he revivido...

Mientras tanto, en la cocina, Ester y Rifka admiraban la exhibición de exquisiteces judeo-mexicanas: pozole, huevos en rabo de mestiza, *kneidlech, gefiltefish* con mole, quesadillas de huitlacoche, y una serie de postres que incluían tarta de queso, *crème brûlée*, ensalada de frutas y arroz con leche. Habían sido traídos, todos, por distintas visitas y dispuestos en la mesa pacientemente por Trini.

Nicolás entró.

–¡Un banquete! El rabino Ishmael ben Sira dijo: "Llora a los muertos. No ocultes tu dolor. No ocultes tu duelo sirviendo un banquete".

Ester se volvió a Rifka:

–¡Mira al sabio medieval de mi sobrino!

Rifka se dio vuelta y preguntó a Trini:

–¿Votaste el otro día?

–Sí, señora Trini. Fui el martes con la señora Shein. Me llevó y me enseñó cómo hacerlo.

–Has visto que no era difícil. Ojalá todos los mexicanos hicieran lo mismo en lugar de quedarse mudos, dijo Rifka.

Rifka y Trini salieron de la habitación, y Ester y Nicolás quedaron solos.

–¿Te hablas con tu padre? No parece poder hacer frente a la muerte de Moishe. Tienes que ayudarlo, dijo ella.

–No sé si estoy obligado… Jamás fue a verme en Israel. Moishe, en cambio, fue a visitarme. Vino con Mabel.

–Supe que estuvo en Medio Oriente, pero no estaba segura de que hubiera pasado por Jerusalén.

–Fue hace más de tres años. Pasaron tres semanas en total, en Israel. Creo que mi padre nunca perdonó a Moishe por haberme sacado de México.

–Estabas fuera de control, mi querido.

–Lo estaba, por cierto. Pero mi padre estaba paralizado. Creo que Moishe no podía soportar la falta de autoridad de su hijo. En cuestión de días me mandó a un *kibbutz*…

–Una profunda herida. Berele consideró siempre a Moishe un ser impulsivo. Se arrepintió e intentó traerte de regreso a toda costa. Pero tu abuelo lo hizo imposible.

En ese punto, Galia, que regresaba de un paseo por la Avenida Horacio, se unió a la conversación. Nicolás se puso de pie y, mientras arreglaba su *yarmulke* torcido, se acercó a ella.

–¿Has visto que desaparecieron las velas? Y también el agua. Es una señal de que Moishe también está listo para decir adiós.

–Es palabra quiere decir "a-Dios", dijo Galia. Nicolás continuó:

–Estoy haciendo mi maleta. Llamé a American Airlines. Salgo mañana a las 2:30 P.M.

–¿No esperas hasta el final?

–Berele cree que la Policía mexicana me sigue de cerca. ¿No has visto el Chevrolet estacionado afuera? Se ha convertido en la broma de la *shivah*. Cree que cuanto antes me vaya será mejor para todos.

–¿Y tú qué crees?

–No me importa.

–¿Estás arrepentido?

–¿De qué?

–¿De qué? ¿Del asalto, por supuesto? ¿No te pesa en tu conciencia?

–Fui un tonto…

–Sin nadie que te guiara, concluyó Galia.

Siguió un silencio.

–La noche que pasé detenido, Moishe apareció en la comisaría. Me dijo que amaba a México demasiado como para permitir que un miembro de su familia destruyera su relación. Me entregó un billete de ida a Tel-Aviv.

–¿Cuánto tiempo permaneciste en el *kibbutz*?

–Nunca llegué al *kibbutz*. Moishe se ocupó de que un ortodoxo, amigo de él, fuera a recogerme. Viví con él y con su familia varios meses.

–De modo que mi padre intervino en tu conversión. Pero él no era religioso. En realidad, la religión le desagradaba, afirmó Ester.

–No estoy tan seguro como tú, mamá. En todo caso, habrá pensado que si una academia militar no pudo enderezar a mi primo, tal vez lo lograría una vida rigurosa, especuló Galia.

–Yo solo elegí hacerme *frum*, Galia. Nadie me lo pidió…, alegó Nicolás.

Galia sonrió.

–Lo sé, dijo.

Nicolás salió de la habitación. Subió las escaleras a la terraza de la planta alta. Era el único lugar del apartamento donde se podía tener algo de intimidad. Berele estaba allí, de pie, fumando un cigarrillo. Vio llegar a su hijo y se acercó a él.

–Espero que no hayas tenido problemas, preguntó el padre.

–Nones. El billete electrónico funcionó muy bien. Muchas gracias por ocuparte, respondió el hijo.

–Todavía tienes una orden de captura pendiente. ¿Sabías?

–Sí.

–Y sin embargo, no te impidió regresar a tu país natal.

–No, papá. Le prometí a Moishe que un día volvería.

–¿Cuándo se lo prometiste?

–La última vez que me visitó en Jerusalén.

Berele guardó silencio.

–Has hablado con él, seguramente, más a menudo que yo.

–Las cosas estaban mal entre ustedes.

–¡Vaya si lo estaban!

–¿Volverás alguna vez a México para quedarte?

Ahora tocó a Nicolás reflexionar.

–Lo dudo. Me siento muy feliz donde estoy. Pero gracias por preguntar.

–¿Tienes novia?

–Los ortodoxos no podemos tener novia, papá.

–¿Esposa?

–Tal vez algún día.

–¿Tienes dinero?

–Sí, tengo.

–¿De dónde?

–Tú sabes de dónde. Moishe hizo un depósito para mí. Vivo de su renta.

–¿Es verdad que envió dinero para tu *yeshiva*?, preguntó Berele.

–Una suma importante. Se lo agradecí. Me ayudó cuando más lo necesitaba.

–Y yo no lo hice.

–No quise decir eso... Estabas muy ocupado cuidando de la fábrica.

–Ya no existe. ¿Lo sabías, verdad?

–Sí. Se incendió misteriosamente...

–¿Insinúas que le encendí una cerilla?

–No insinúo nada. Solo repito lo que oí.

–¿Cuándo te vuelves?

–Acabo de llegar, papá. ¡Déjame un respiro, por favor!

–Tengo miedo de que la policía te busque.

–Déjame solo.

–¿Qué? ¿Quieres ir a la cárcel?

–No. Pero tengo que aceptar la realidad de que soy un fugitivo. No quería que eso me impidiera estar junto a Moishe cuando su alma ascendiera a los brazos del Todopoderoso.

–El dinero robado del banco nunca fue hallado. ¿Qué pasó?

–Supongo que estará donde lo ocultamos.

–¿Dónde?

–En algún sitio.

–¿No debieras devolverlo?

–¿Para qué?

–¿Por qué no lo usas, entonces?

–No es mío, papá.

–¿De quién es?

–De nadie.

–Los otros dos muchachos que intervinieron en el asalto están en la cárcel.

–Lo sé.

–Alegaron que no sabían dónde estaba el dinero.

–Es verdad.

–¿No te tortura, Nicolás, saber que eres el único que sabe donde está oculto el dinero?

–Me he olvidado de él.

Abrumado por la reticencia de su hijo, Berele dio un paseo por la terraza. Nicolás permaneció en el mismo sitio.

–¿Qué pasa si el alma de Moishe va al infierno?, preguntó Berele.

Nicolás estuvo a punto de lanzarle un insulto, pero se calmó.

–En ese caso estaremos allí para recibirlo, respondió.

Sexto día

El viernes al mediodía, última jornada de la *shivah*, el puñado de asistentes bromeaba acerca del resultado de la elección presidencial.

–La corrupción es ciega. No reconoce líderes. Hoy estamos metidos en un montón de mierda con las letras PRI visiblemente escritas encima. Mañana estaremos metidos en otro que pone PAN. La misma mierda, aunque revolcada...

Beto Brenner estaba cansado de la conversación. Una semana de ver a la misma gente lo había saturado. Cambió de tema: las películas de Hollywood, los rituales judíos.

–Prefiero el ritual de "ninguna visita". La *shivah* es un hecho mórbido y contrario al sentido común. Abre toda clase de compuertas emocionales. Es preferible no prolongar más el sufrimiento.

El otro le respondió:

–Además, despierta en la memoria preguntas profundas. ¿Debemos compartir nuestras dudas emocionales acerca del fallecido? Es mejor no susurrar palabras en el oído del Demonio.

En ese punto Jacobo Feher, intelectual destacado, homosexual reprimido, y administrador de toda la vida de la *Kehila*, como también responsable de un libro sobre el cómico mexicano Cantinflas, entró en la habitación. Expresó su afecto hacia Moishe Tartakovsky, luego de lo cual se puso a conversar animadamente con Enrique.

–Permíteme preguntarte: ¿En qué preciso momento los judíos mexicanos se hicieron traidores? ¿Cuándo perdieron contacto con la nación que los recibió con los brazos abiertos?

Berele, con la barba ya casi completamente crecida, no respondió. Feher continuó:

–¿Amamos este país hasta la muerte? Solo mientras nos permita vivir al margen del tiempo, indiferentes a las corrientes históricas. Sí: las generaciones van y vienen, pero no mucho cambia entre nosotros. ¿O no?

Por un azar, en ese momento alguien en la calle gritó "¡Viva México!"

Feher sonrió. "¡Viva!", dijo, sin mucha emoción, sumando su voz a las del coro.

Llegó el rabino Sapotnik, que venía todos los días al atardecer. Rápidamente se formó un *minyan*. En unos minutos, él y Nicolás leían del libro de oración. Sus voces no siempre coincidían. El rabino Sapotnik pronunciaba las palabras hebreas con un ligero acento argentino, mientras que Nicolás comprimía, quizás se saltaba incluso, algunas sílabas.

Cuando llegó el momento de la *Shema*, pareció alcanzar una cima emotiva sin precedentes.

En agradecimiento, Enrique entregó al rabino un sobre con dinero. El rabino Sapotnik recorrió el salón despidiéndose de cada uno.

–Que el alma de Moishe alcance la paz. Y que nos aguarde allí a todos nosotros cuando nos llegue el momento del viaje hacia el Todopoderoso. En los días del Mesías estaremos todos juntos nuevamente.

Mientras tanto, Nicolás se volvió a Galia.

–Es una plegaria que se remonta al Segundo Templo de Jerusalén. Está inspirada en el Libro de Ezequiel, acerca del tiempo en que el Todopoderoso será aceptado por todos. Se incorporó a la tradición durante el Periodo Talmúdico.

Galia miró atentamente a su primo.

–Parto dentro de quince minutos, prima. Fue grato verte de nuevo después de tantos años. Ahora ansío regresar a Israel. Es mi lugar... El Sábbath se celebra allí de una manera más allá de toda explicación, anunció Nicolás.

Ella le sonrió.

–¿Te llevas mi sostén?

Él fingió no saber a qué se refería.

–¿Qué sostén?

–Nada. No te preocupes, respondió Galia.

Nicolás cambió de tema.

–A que no sabes cómo viajo al aeropuerto.

–¿Cómo?

–En el Chevrolet. Tengo que hacer una escala en el camino.

–¿Para qué?

–Tengo que recoger algo. Algo que dejé cuando me fui en 1989.

–¿Qué es?, preguntó Galia curiosa.

–Un recuerdo del pasado, respondió Nicolás

Trini bajó la maleta de Nicolás y la colocó junto al ascensor. Nicolás se despidió de Enrique y Ester, Elías Fischer y Trini. De pie, en el fondo, cerca de la escalera, estaba su padre, Bernardo. Nicolás se le acercó.

–Hasta luego, papá.

–Tal vez te visite en Jerusalén.

–¿Por qué no?, dijo Nicolás.

Galia se acercó a ellos.

–Como el rabino Sapotnik dijo en la *levaya*, el Mesías nos reunirá a todos. Para entonces habré hecho un filme sobre una *shivah* de judíos mexicanos. El público nunca verá al patriarca muerto. Solo podrá visualizarlo a través de la suma de los comentarios contradictorios expresados por los asistentes al velorio, durante los siete días de duelo.

–Nicolás tomó la maleta y se encaminó al ascensor. Galia lo besó en la mejilla. Él reaccionó molesto, pero al final sonrió.

Era de tarde. Afuera, en la Avenida Horacio había un clima alegre. La gente hacía compras anticipándose al fin de semana. Solo unos pocos asistentes permanecían en el apartamento. Poco antes de la puesta de sol, los miembros de la familia que quedaban recogerían las camisas, corbatas y otras ropas rasgadas que habían usado luego de celebrar la *k'riah* en el funeral, las pondrían en una bolsa, caminarían juntos hasta la esquina y a la vuelta las arrojarían en la basura, señal de que la semana de duelo que concluía con el Sabbath como séptimo día, había llegado a su fin.

Berele y Ester, mucho más calmos que nunca antes, se sentaron juntos en el comedor. Ester tomó el libro de condolencias y comenzó a leerlo. Ari, visiblemente barbudo como Berele, y su esposa Lorena estaban cerca, igual que

Galia. Las páginas estaban llenas de mensajes manuscritos que iban de un par de líneas a un par de largos párrafos, que describían a Moishe de variadas maneras. Los tres lectores se sorprendieron ante el carácter opuesto de las frases. Palabras como "afectuoso" o "digno" contrastaban con expresiones como "emociones volcánicas" o "imperdonable".

Uno de los mensajes decía: "La memoria es piadosa. Resalta lo positivo". Otro afirmaba: "Olvidemos los viejos litigios. Los hijos no debieran pagar por los pecados de sus padres".

Súbitamente, Galia pidió a todos los familiares y amigos íntimos que aguardaran.

–Les espera una sorpresa.

–¿Qué clase de sorpresa?, preguntó Ari.

–Un mensaje de Moishe. Un mensaje para todos nosotros.

Los llevó a todos a la oficina de Moishe, junto a la escalera, detrás del salón. Una vez que todos se sentaron y se acomodaron, Galia encendió el televisor y puso un videocasete en la grabadora que estaba debajo. En la pantalla comenzó a pasar un filme *amateur*. Se veía un interior mal iluminado, amplio, que parecía un auditorio. Al comienzo la lente temblaba nerviosa, pero al cabo la imagen se estabilizó. Alguien sostenía la cámara en la mano mientras caminaba. Al cabo de un momento quedó claro que se trataba de la Congregación Beit Yitzhak, la sinagoga de Moishe. Era el *sancta sanctórum*, pero el lugar estaba absolutamente vacío. Realmente parecía fantasmagórico. A juzgar por la luz que se filtraba por las ventanas, podrían haber sido las primeras horas de la mañana.

La cinta se detuvo. Al principio toda la pantalla se oscureció, pero luego comenzó a verse una escena: la cámara captaba al presidente Zedillo cuando recibía a los miembros de su gabinete. Un presentador de noticias citaba al líder:

"'…llamémoslo una nueva vida', ha dicho *El Presidente*. 'Aunque el PRI no ha ganado la elección, eso no quiere decir que nuestra misión esté acabada. Puede no haber reencarnación en la vida, pero hay reencarnación en la política. En nuestro país el pasado nunca se entierra. El PRI sabe que…'"

–¿Algo anda mal?, preguntó Berele, pero antes de que Galia se pusiera de pie para arreglar el televisor, la imagen de video se restableció.

–Es un vídeo casero, dijo Ari.

Ahora se veía el rostro de Moishe en primer plano. Llevaba un *sombrero*. Decía algo en *ídish*.

–¿Qué dijo?, preguntó Ari.

–Va a cantar algo como un mariachi, dijo Fischer.

Moishe hizo un leve movimiento. Su redondo vientre, como una *sandía*, se hizo visible. Se oía una melodía distante. Tras varios compases, comenzó a cantar en *ídish*. Berele rió.

–Desentona horriblemente…

Entonces Moishe cambió al castellano.

Posiblemente de mí te has olvidado,
Y sin embargo yo te seguiré esperando.
No me he querido ir para ver si algún día
Que tu quieras volver me encuentres todavía.

Mientras su *Zeide* sonreía y la imagen se cortaba otra vez, Galia anunciaba rápido: "Una canción de Juan Gabriel. Encontré este vídeo en una de las gavetas de Moishe. Es un discurso de despedida".

Una vez más, la narración se interrumpió por unos segundos. Por fin, Moishe apareció nuevamente ante la cámara. Ahora estaba sentado cerca de la *bimah*. Comenzó a hablar lentamente, como si dictara cada sílaba con cuidado:

"...Uno no tiene la posibilidad de apartarse de la gente. Pero llega un momento en que reconoce que el lugar que ocupamos en esta Tierra –el hueco que habitamos día sí día no– va dejando de ser nuestro. ¿Cuánto tiempo nos llevará desaparecer, convertirnos en *un fantasma*?"

Moishe respiró hondo.

"Hoy es mi septuagésimo cumpleaños. ¿Soy feliz? He decidido pasarlo con nadie más que conmigo. El valor de un hombre es la suma de las semillas que ha arrojado por el mundo. Las mías están dispersas por todo el planeta. Me siento destrozado, disminuido por todas estas partidas, estas substracciones. México ha sido extraordinariamente generoso conmigo y con miles de otros inmigrantes judíos. ¿Hemos sido nosotros igualmente generosos con México? No estoy seguro..."

Poco a poco, la imagen del televisor se volvió borrosa otra vez. El sonido disminuyó poco a poco y por fin se apagó totalmente. Los espectadores solo podían ver un vacío.

–¿Alguien puede arreglarlo?, pidió Berele.

Galia lo intentó, al principio sin éxito. Cuando estaba por desistir, la imagen de Moishe reapareció por un instante en el televisor. Sonreía, sarcásticamente. Y luego se sintió un súbito hipo. En ese momento, Galia tuvo la sensación de que estaba viendo otra vez una luz resplandeciente como las que había visto antes. Tal vez era incluso una imagen angélica que bailaba sola en la sinagoga contra un fondo oscuro. Tan inesperadamente como había aparecido, el rostro de la pantalla desapareció para siempre.

Elías Fischer dejó escapar una frase: "¡Ay, cabrón!

Traducción al castellano de Martín Felipe Yriart.